LA FLAMME
DE
L'ATTENTION

J. KRISHNAMURTI

LA FLAMME DE L'ATTENTION

Traduit de l'anglais
par Jean Michel Plasait

LE ROCHER
Jean-Paul BERTRAND
Éditeur

titre original :
THE FLAME OF ATTENTION

ISBN : 2.268.00.525.9

L'observation, telle une flamme d'attention, efface la haine.

Brockwood Park, le 28 août 1982

L'observation est comme une flamme qui est attention et avec cette capacité d'observation, les blessures, le sentiment d'avoir de la peine, la haine tout cela est consumé, envolé.

Brockwood Park, le 29 août 1982

Note du traducteur :

Insight – Perception immédiate, totale et pénétrante d'une chose.

Holistique – Qualité de ce qui est à la fois complet, entier et sain physiquement et moralement.

CHAPITRE PREMIER

NEW DELHI

J'aimerais vous faire remarquer que nous ne faisons aucune propagande, pour une croyance, pour un idéal ou pour une organisation. Ensemble, nous regardons ce qui se passe dans le monde, autour de nous. Nous ne le considérons pas d'un point de vue Indien, Européen ou Américain, ni d'aucun autre point de vue d'intérêt national. Ensemble, nous allons observer ce qui se passe vraiment dans le monde. Nous pensons ensemble, mais nous n'avons pas un seul esprit. Il y a une différence entre avoir un seul esprit et penser ensemble. N'avoir qu'un seul esprit implique d'être parvenu à une conclusion, d'avoir adopté certaines croyances, certains concepts. Mais penser ensemble, c'est tout différent. Penser ensemble implique que vous et l'orateur avez la responsabilité de regarder objectivement, impersonnellement, ce qui se passe. Alors, nous pensons ensemble. L'orateur, bien qu'il soit assis sur une estrade, par commodité, n'a aucune autorité. Je vous en prie, nous devons être très clairs là-dessus. Il n'essaie pas de vous convaincre de quoi que ce soit. Il ne vous demande pas de le suivre. Ce n'est pas votre gourou. Il ne vous préconise aucun système ni aucune philosophie, mais plutôt d'observer ensemble, comme deux amis de longue date, qui ne se préoccupent pas seulement de leur vie privée, mais qui regardent ensemble ce monde qui semble devenu fou.

Le monde entier s'arme, dépensant des sommes folles pour détruire les hommes, qu'ils vivent en Amérique, en Europe, en Russie ou ici. Cela prend une tournure désastreuse et ce ne sont pas les hommes politiques qui peuvent y remédier. On ne peut pas compter sur eux, ni sur les scientifiques – ils aident à accroître la technologie militaire, ils rivalisent entre eux. Nous ne pouvons pas plus compter sur les prétendues religions, elles sont devenues purement verbales, répétitives, totalement dépourvues de sens. Elles sont devenues des superstitions, elles se contentent de suivre la tradition, qu'elle date de deux ou cinq mille ans. Donc, nous ne pouvons pas compter sur les hommes politiques qui à travers le monde ne pensent qu'à conserver leur place, leur pouvoir, leur prestige. Nous ne pouvons pas plus compter sur les scientifiques qui chaque année ou même chaque semaine, inventent de nouvelles formes de destruction. Nous ne pouvons pas plus nous tourner vers une religion pour résoudre ce chaos créé par l'homme.

Que peut faire un homme ? La crise est-elle intellectuelle, économique, ou nationale avec toute la pauvreté, le désordre, l'anarchie, le non-respect de la loi, le terrorisme et la menace permanente d'une bombe dans la rue ? Quand vous regardez tout cela, quelle est notre part de responsabilité ? Sommes-nous concernés par ce qui arrive dans le monde ? Ou ne sommes-nous concernés que par notre salut personnel ? Je vous en prie, examinez tout cela très sérieusement, afin que vous et l'orateur puissiez observer objectivement, ce qui se passe, non seulement à l'extérieur, mais aussi dans notre conscience, dans notre pensée, dans notre façon de vivre et d'agir. Si vous n'êtes pas concernés par le monde, mais que vous vous occupiez seulement de votre salut personnel, en adhérant à des croyances, à des superstitions, en suivant des gourous, alors j'ai bien peur que la communication entre vous et l'orateur ne puisse pas s'établir. Nous devons être clairs là-dessus. Nous ne nous occupons pas du salut personnel, mais nous nous intéressons, honnêtement, sérieusement, à ce qu'est devenu l'esprit humain, ce à quoi l'humanité est confrontée. Nous sommes concernés en tant qu'êtres humains, mais des êtres humains qui ne se réclament pas d'une nationalité particulière. Ce qui nous intéresse, c'est de regarder le monde et ce que peut faire un homme qui vit dans ce monde, quel est son rôle ?

Chaque matin, dans les journaux, il y a des meurtres, des atrocités causées par des bombes, des destructions, du terrorisme et des kidnappings. Vous lisez tout cela, chaque jour et vous n'y faites presque plus attention. Mais si cela vous arrive personnellement, vous êtes dans un état de confusion, de détresse et vous demandez à un autre, au gouvernement ou à un policier, de vous sauver, ou de vous protéger. Et ici, quand vous observez, comme l'orateur le fait depuis soixante ans, tout ce qui se passe dans ce malheureux pays, vous voyez la pauvreté, apparemment insoluble, la surpopulation, les divisions linguistiques, une communauté qui veut se séparer des autres, les divisions religieuses, les gourous qui deviennent extrêmement riches, avec leurs avions privés – ce que vous acceptez aveuglement – vous vous rendez compte que vous n'y pouvez rien. C'est un fait. Nous ne nous occupons pas d'idées, mais de faits, de ce qui arrive réellement.

Et si nous voulons observer ensemble, nous devons être dégagés de notre nationalisme. Nous, les êtres humains, sommes reliés, où que nous vivions. Je vous en prie, réalisez-le, voyez à quel point c'est sérieux et urgent. Car dans ce pays les gens sont devenus léthargiques, complètement indifférents à ce qui se passe, tout à fait insouciants, seulement préoccupés de leur propre petit salut, de leur petit bonheur.

Nous vivons par la pensée. Quel est le fonctionnement, ou le processus et le contenu de la pensée? Tous les temples sont le fruit de la pensée et tout ce qui se trouve à l'intérieur des temples, les images, les pujas, toutes les cérémonies, tout cela est le résultat de la pensée. Tous les livres sacrés – les Upanishads, la Gita etc. – sont le produit de la pensée, l'expression de la pensée sous forme écrite, pour transmettre ce que quelqu'un a expérimenté ou pensé. Mais le mot n'est pas sacré. Aucun livre au monde n'est sacré, tout simplement parce qu'il est le produit de la pensée de l'homme. Nous vénérons l'intellect. Les intellectuels semblent séparés de vous et moi, qui ne sommes pas intellectuels. Nous respectons leurs concepts, leur intellect. On pense que l'intellect va résoudre nos problèmes, mais c'est impossible, c'est comme si on développait un bras hors de proportion avec le reste du corps. Ni l'intellect, ni les émotions, ni la sentimentalité romantique ne vont nous aider. Nous devons regarder les choses telles qu'elles sont, les regarder très attentivement et voir l'urgence de faire quelque chose immédiatement, de ne pas laisser cela aux scientifiques, aux politiciens et aux intellectuels.

Donc, tout d'abord, regardons ce qu'est devenue la conscience humaine, car notre conscience est ce que nous sommes. Ce que vous pensez, ce que vous ressentez, vos peurs, vos plaisirs, vos angoisses et votre insécurité, votre malheur, vos dépressions, votre amour, votre douleur, votre souffrance et la peur finale de la mort, tout cela est le contenu de votre conscience. Ils sont ce que vous êtes. Ils sont ce qui fait de vous un être humain. Faute de comprendre ce contenu et de le dépasser – si c'est possible – nous ne pourrons pas agir sérieusement, essentiellement, fondamentalement, pour amener une transformation, une mutation dans cette conscience.

Pour découvrir quelle est l'action juste, nous devons comprendre le contenu de notre conscience. Si notre conscience est confuse, incertaine, tendue, passant d'une position à l'autre, d'un état à l'autre, alors on devient de plus en plus confus, incertain et inquiet. On ne peut pas agir au milieu de cette confusion. De cette façon, on dépend d'un autre – ce que l'homme fait depuis des milliers d'années. Mettre de l'ordre en nousmême est d'une importance primordiale. De cet ordre intérieur sortira un ordre extérieur. Nous cherchons toujours un ordre extérieur. Nous voulons que l'ordre règne dans le monde, un ordre qui soit établi par un gouvernement fort ou par une dictature totalitaire. Nous voulons tous être contraints pour nous conduire correctement. Supprimez cette contrainte et nous devenons à peu près tels que nous sommes dans l'Inde actuelle. Donc, il devient de plus en plus urgent, pour ceux qui sont sérieux, qui font face à cette crise terrible de découvrir, tout seul, ce qu'est notre conscience et la libérer de son contenu, afin de devenir des gens vraiment religieux. En l'état actuel des choses, nous ne sommes pas des gens religieux, nous devenons de plus en plus matérialistes.

L'orateur ne va pas vous dire ce que vous êtes, mais vous et l'orateur allez examiner, ensemble, ce que nous sommes et chercher s'il est possible de nous transformer complètement. Donc, nous allons observer d'abord le contenu de notre conscience. Suivez-vous ? Ou bien êtes-vous trop fatigués en cette fin de journée? Vous êtes tendus toute la journée, toute la semaine – tension à la maison, tension au travail, tension économique et religieuse, pression du gouvernement et des gourous qui vous imposent leurs croyances, leur idiotie. Mais ici, nous ne sommes pas sous-tension. Je vous en prie, rendez-vous en compte. Nous sommes comme deux amis discutant ensemble de nos souffrances, de nos blessures, de nos angoisses, de notre incertitude, de notre inquiétude et du moyen de trouver la sécurité, de se libérer de la peur et de savoir si nos douleurs pourront, un jour, prendre fin. Ceci nous concerne, car si nous ne le comprenons pas et que nous ne le regardons pas clairement, nous n'apporterons que plus de confusion et de destruction dans le monde. Nous serons peut-être tous volatilisés par une bombe atomique. Nous devons donc agir d'urgence, sérieusement, avec tout notre cœur et notre esprit. C'est vraiment très, très important, car nous sommes face à une crise considérable.

Nous n'avons pas créé la nature, les oiseaux, les eaux, les rivières, les cieux magnifiques et les eaux vives, le tigre, l'arbre merveilleux, nous ne les avons pas créés. Nous n'allons pas, maintenant, examiner la façon dont tout cela s'est fait. Et nous détruisons les forêts, ainsi que les animaux sauvages. Nous en tuons des millions et des millions chaque année – certaines espèces sont en voie de disparition. Nous n'avons pas créé la nature – le cerf, le loup – mais la pensée a créé tout le reste. La pensée a créé les magnifiques cathédrales, les temples anciens, les mosquées et les images qu'ils contiennent. La pensée qui a créé les images qui sont dans les temples, les cathédrales, les églises et les inscriptions qui sont dans les mosquées, cette pensée même adore ce qu'elle a créé.

Par conséquent, le contenu de notre conscience a-t-il été produit par la pensée qui a pris une telle importance dans notre vie ? Pourquoi l'intellect, la faculté d'inventer, d'écrire, de penser sont-ils devenus importants ? Pourquoi l'affection, la sollicitude, la sympathie, l'amour ne sont-ils pas devenus plus importants que la pensée ?

Donc, examinons d'abord ensemble ce qu'est la pensée. La structure du psychisme est basée sur la pensée. Nous devons examiner ce que c'est que réfléchir, ce qu'est la pensée. Je peux l'exprimer par des mots, mais vous le voyez vous-même. Ce n'est pas l'orateur qui indique et vous qui voyez, mais en parlant ensemble vous le voyez vous-même. A moins d'appréhender très prudemment ce qu'est la pensée, nous ne pourrons pas comprendre, observer ou avoir un insight dans la totalité de notre conscience, qui est ce que nous sommes. Si je ne me comprends pas, c'est-à-dire, si je ne comprends pas ma conscience, pourquoi je pense de cette façon, pourquoi je me comporte ainsi, si je ne comprends pas mes peurs, mes blessures, mes angoisses, mes diverses attitudes et mes convictions, alors quoi que je fasse, cela ne fera qu'accroître la confusion.

Qu'est-ce que la pensée pour vous ? Quand quelqu'un vous met au défi avec cette question, quelle est votre réaction ? Qu'est-ce que la pensée et pourquoi pensez-vous ? La plupart d'entre nous sont devenus des gens de seconde main. Nous lisons beaucoup, allons à l'Université et accumulons une grande somme de connaissances, d'informations tirées de ce que les autres pensent, de ce que d'autres ont dit. Et nous citons ce savoir que nous avons acquis et le comparons avec ce qui a été dit. Il n'y a rien d'original, nous ne faisons que répéter, répéter, répéter. De telle sorte que lorsqu'on vous demande : « Qu'est-ce que la pensée ? Qu'est-ce que penser ? », nous sommes incapables de répondre.

Nous vivons et nous nous comportons conformément à notre pensée. Nous avons ce gouvernement à cause de notre pensée, nous avons des guerres à cause de notre pensée – tous les fusils, les avions, les obus, les bombes, tout cela provient de notre pensée. La pensée a créé les merveilles de la chirurgie, les grands techniciens et les experts, mais nous n'avons pas étudié ce qu'est la pensée.

La pensée est un processus issu de l'expérience et du savoir. Écoutez cela calmement, voyez si ce n'est pas vrai, réel, alors vous le découvrirez vous-même, comme si l'orateur faisait office de miroir, dans lequel, tout seul, vous voyez exactement ce qui est, sans déformation. Alors jetez le miroir ou brisez-le. La pensée commence avec l'expérience qui devient du savoir quand elle est emmagasinée dans les cellules du cerveau sous forme de mémoire. Puis la pensée et l'action sont tirées de la mémoire. Je vous en prie, voyez cela vous-même, ne répétez pas ce que je dis. Cette séquence est un fait réel : expérience, savoir, mémoire, pensée, action. Et puis à partir de cette action, vous apprenez davantage, ainsi il y a un cycle et c'est notre chaîne.

C'est notre façon de vivre. Et nous ne sommes jamais sortis de ce domaine. Vous avez beau l'appeler action et réaction, mais nous ne sortons jamais de ce domaine – le domaine du savoir. C'est un fait. Alors, le contenu de notre conscience, c'est tout ce que la pensée a généré. Je peux penser : oh, bien des vilaines choses; je peux penser que Dieu est en moi, mais c'est, une fois encore, le produit de la pensée.

Nous devons prendre le contenu de notre conscience et le regarder. La plupart d'entre nous, depuis l'enfance, sont blessés, meurtris, pas seulement à la maison, mais aussi à l'école, au collège et à l'université – et plus tard, dans la vie, nous sommes encore blessés. Et quand vous êtes blessés, vous bâtissez un mur autour de vous et la conséquence de tout cela, c'est de devenir de plus en plus isolé, de plus en plus perturbé, effrayé, et de chercher une façon de ne plus être blessé. Les actes qui découlent de ces blessures sont manifestement névrotiques. C'est un des contenus de notre conscience. Mais, qu'est-ce qui est blessé ? Quand vous dites « Je suis blessé » – pas physiquement, mais intérieurement, psychologiquement, dans le psychisme – qu'est-ce qui est blessé ? N'est-ce pas l'image que vous avez de vous-même ? Nous tous, avons des images de nous-même, vous êtes un grand homme, ou un homme très humble. Vous êtes un grand homme politique avec toute la fierté, la vanité, la puissance, la situation que cela implique, ce qui crée cette image que vous avez de vous-même. Si vous avez un doctorat ou si vous êtes une maîtresse de maison, vous avez de vous-même, l'image correspondante. Chacun a une image de soi. C'est un fait indiscutable. La pensée a créé cette image et cette image est blessée. Donc, est-il possible de n'avoir aucune image de soi ?

Quand vous avez une image de vous, vous créez une séparation entre vous et un autre. C'est important de comprendre très profondément ce qu'est la relation. Vous n'êtes pas seulement relié à votre femme, à votre voisin, à vos enfants, mais vous êtes relié à toute l'espèce humaine. La relation que vous avez avec votre femme est-elle purement sensuelle, n'est-ce qu'une relation sexuelle ou alors un compagnonnage romantique et commode ? Elle fait la cuisine et vous allez au bureau. Elle met au monde les enfants et vous travaillez, du matin au soir, pendant cinquante ans, jusqu'à la retraite. Et c'est ce que l'on appelle vivre. Donc, vous devez découvrir très clairement, très prudemment, ce qu'est la relation. Si votre relation est basée sur la blessure, alors vous utilisez l'autre pour échapper à cette blessure. Votre relation est-elle basée sur des images mutuelles ? Vous avez créé une image d'elle et elle a créé une image de vous. La relation a lieu entre deux images que la pensée a créé. Donc, on demande : « La pensée est-elle amour ? Le désir est-il amour ? Le plaisir est-il amour ? Vous pouvez répondre non, vous pouvez secouer la tête, mais en réalité, vous ne découvrez jamais, vous n'explorez et vous n'approfondissez jamais cette question. »

Est-il possible qu'il n'y ait pas de conflit dans la relation ? Nous vivons dans le conflit du matin au soir. Pourquoi ? Cela fait-il partie de notre nature, de notre tradition, de notre religion ? Chacun a une image de soi. Vous avez une image de vous et elle a une image d'elle, ainsi que bien d'autres images – son ambition, son désir d'être ceci ou cela. De même, vous avez vos ambitions, votre esprit de compétition. Vous avancez sur deux parallèles, comme deux rails de chemins de fer, vous ne vous rencontrez jamais, sauf peut-être au lit, mais jamais à un autre niveau. Quelle tragédie.

Donc, il est très important de regarder nos relations, pas seulement vos relations intimes, mais aussi vos relations avec le reste du monde. Le monde extérieur est intimement relié, vous n'êtes pas séparé du reste du monde. Vous êtes le reste du monde. Les gens souffrent, ils ont de grandes angoisses, des peurs, ils sont menacés par la guerre tout comme vous l'êtes. Ils accumulent de vastes armements pour se détruire mutuellement et vous ne réalisez jamais à quel point nous sommes intimement reliés. Je peux être musulman et vous pouvez être hindou. Ma tradition dit « Je suis musulman »; tel un ordinateur, j'ai été programmé pour répéter « Je suis musulman ». Et vous répétez : « Je suis hindou ». Vous réalisez ce que la pensée a fait? Le reste du monde est comme vous, avec quelques modifications, éduqué différemment, avec des usages superficiels différents, vivant ou non dans l'abondance, mais avec les mêmes réactions, les mêmes douleurs, les mêmes angoisses et les mêmes peurs. Je vous en prie, consacrez votre esprit, votre cœur à découvrir ce qu'est votre relation avec le monde, avec votre voisin et avec votre femme ou votre mari. Si elle est basée sur les images, les souvenirs, il y aura inévitablement des conflits avec votre femme, votre mari ou avec votre voisin, avec les musulmans, les pakistanais, les russes – vous suivez? Et le contenu de votre conscience est cette blessure que vous n'avez pas résolue, qui n'a pas été complètement effacée. Elle a laissé des cicatrices et diverses formes de peur proviennent de ces cicatrices et cela aboutit finalement à l'isolement. Chacun de nous est isolé, à cause des traditions religieuses, de l'éducation, à cause de l'idée que vous devez toujours réussir, réussir, réussir, devenir quelqu'un. Mais au-delà de nos relations avec les autres, proches ou non, nous sommes intimement reliés, que l'on vive ici ou n'importe où ailleurs dans le monde. Le monde est vous et vous êtes le monde. Vous pouvez avoir des noms différents, des formes différentes, différentes sortes d'éducation, différentes situations, mais intérieurement nous souffrons tous, nous traversons tous de grandes détresses, nous versons des pleurs, nous sommes effrayés par la mort et nous avons un grand sentiment d'insécurité – sans amour et sans compassion.

Donc, comment écoutez-vous ce fait ? C'est-à-dire, comment écoutez-vous ce qui vient d'être dit ? L'orateur dit que vous êtes, en profondeur, le reste de l'humanité. Vous pouvez être brun, petit ou porter un sari, tout cela est superficiel ; mais intérieurement, le courant, que je sois Américain, Russe ou Indien, le courant est le même. Le mécanisme de tous les êtres humains est similaire. Donc, vous êtes le monde et le monde est vous, très profondément. On doit réaliser cette relation. Vous comprenez que j'utilise le mot « réaliser » dans le sens d'être capable d'observer et d'en voir la réalité.

Maintenant se pose la question : comment observez-vous ? Comment regardez-vous votre femme, votre mari ou votre Premier ministre ? Comment regardez-vous un arbre ? On doit apprendre l'art de l'observation. Comment m'observez-vous ? Vous êtes assis là, comment me regardez-vous ? Quelle est votre réaction ? Regardez-vous l'orateur en pensant à sa réputation ? Quelle est votre réaction quand vous voyez un homme comme moi ? Vous contentez-vous seulement de sa réputation – même si c'est absurde c'est généralement ainsi que cela se passe – de la façon dont il est venu à cette place pour s'adresser à tous ces gens, du fait qu'il soit important et de ce que vous pouvez tirer de lui. Il ne peut pas vous donner une place dans un gouvernement. Il ne peut pas vous donner de l'argent, car il n'en a pas. Il ne peut pas vous donner des honneurs, du prestige, une position, ni vous guider ou vous dire que faire. Comment le regardez-vous ? Avez-vous regardé quelqu'un, librement, franchement, sans un mot, sans une image ? Avez-vous regardé la beauté d'un arbre, le frémissement de ses feuilles ? Donc pouvons-nous apprendre ensemble comment observer ? Vous ne pouvez pas observer, visuellement, optiquement, si votre esprit est occupé – comme la plupart de nos esprits le sont – par l'article que vous avez à écrire le lendemain, ou par votre cuisine, votre travail ou la sexualité ou occupé par savoir comment méditer ou par ce que les autres peuvent dire. Comment un tel esprit, occupé du matin au soir, peut-il observer ? Si je m'occupe de devenir un maître charpentier, alors je dois connaître les qualités de différents bois, je dois connaître les outils et la façon de s'en servir. Je dois étudier comment assembler des joints sans clous, etc. Donc, mon esprit est occupé. Ou si je suis névrosé, mon esprit est occupé par la sexualité, par ma réussite politique ou par autre chose. Donc, comment puis-je observer si je suis occupé ? Est-il possible de ne pas avoir un esprit sans cesse occupé ? Je suis occupé quand je dois parler, quand je dois écrire une chose ou une autre, mais le reste du temps, pourquoi mon esprit doit-il être occupé ?

Les ordinateurs peuvent être programmés, comme les hommes le sont. Ils peuvent, par exemple, apprendre, penser plus vite et plus précisément que l'homme. Ils peuvent jouer avec un grand joueur d'échecs. Après avoir été battu quatre fois, le maître bat l'ordinateur quatre fois et la cinquième et la sixième fois l'ordinateur bat le maître. L'ordinateur peut faire des choses extraordinaires. Il a été programmé – vous comprenez ? Il peut inventer, créer de nouvelles machines, qui seront capables d'une meilleure programmation que l'ordinateur précédent, ou une machine qui, en définitive, sera « intelligente ». La machine créera, elle-même, disent-ils, l'ultime machine « intelligente ». Que va-t-il arriver à l'homme quand l'ordinateur prendra le contrôle de tout ? L'encyclopédie britannique peut tenir dans un seul circuit intégré et il contient tout ce savoir. Alors quelle sera la place du savoir dans la vie humaine?

Nos cerveaux sont occupés, jamais tranquilles. Pour apprendre comment « observer » votre femme, votre voisin, votre gouvernement, la dureté de la pauvreté, les horreurs des guerres, vous devez être libre pour observer. Cependant nous refusons d'être libres, car nous avons peur d'être libres, d'être seuls.

Nous avons écouté l'orateur; qu'avons-nous entendu, qu'avons-nous recueilli – des mots, des idées, ce qui, en définitive, n'a aucun sens? Avez-vous vu, vous-même, l'importance de ne pas être blessé? Cela signifie n'avoir jamais d'image de soi. Avez-vous vu l'importance, l'urgence de comprendre la relation et d'avoir un esprit qui ne soit pas occupé? Quand il ne l'est pas, il est extraordinairement libre, il voit la grande beauté. Mais le petit esprit mesquin, le petit esprit de seconde main, est toujours occupé par le savoir, par devenir ceci ou cela, s'informant, discutant, se disputant, jamais calme, ce n'est jamais un esprit vacant. Quand un tel esprit vacant existe, la suprême intelligence provient de cette liberté – mais elle ne naît jamais de la pensée.

le 31 octobre 1982

CHAPITRE II

NEW DELHI

Avant d'examiner la question de la méditation, nous devrions discuter, ou partager ensemble – c'est peut-être le mot exact – l'importance de la discipline. Dans le monde, la plupart de nous, ne sont pas disciplinés, disciplinés dans le sens que nous n'apprenons pas. Le mot « discipline » vient du mot disciple, le disciple dont l'esprit apprend – pas avec quelqu'un, pas avec un gourou, un maître ou un prêcheur, ni avec des livres, mais apprendre par l'observation de son propre esprit, de son propre cœur, apprendre à partir de ses propres actions. Et cet apprentissage demande une certaine discipline, et non le conformisme que la plupart des disciplines sont censées exiger. Là où il a du conformisme, de l'obéissance et de l'imitation, il n'y a jamais d'apprentissage, on ne fait que suivre. La discipline implique l'apprentissage, apprendre sur l'esprit très complexe que l'on a, sur notre vie quotidienne, apprendre sur les relations avec les autres, de sorte que l'esprit soit toujours souple, actif.

Pour partager ce qu'est la méditation, on doit comprendre la nature de la discipline. Telle qu'elle est comprise habituellement, la discipline suppose le conflit, se conformer à un modèle comme un soldat, ou se conformer à un idéal, se conformer à certaines paroles des livres sacrés, et ainsi de suite. Là où il y a conformisme, et il y a forcément friction et, par conséquent, perte d'énergie. Si notre esprit et notre cœur sont en conflit, ils ne peuvent pas méditer. Nous allons approfondir cela. Ce ne sont pas de simples paroles, que vous acceptez ou que vous refusez, mais c'est quelque chose que nous allons examiner ensemble.

Nous vivons depuis des millénaires et des millénaires dans le conflit, le conformisme, l'obéissance, l'imitation, la répétition, de telle façon que notre esprit est devenu extrêmement terne; nous sommes devenus des gens de seconde main, toujours en train de citer quelqu'un d'autre, ce qu'il a dit et ce qu'il n'a pas dit. Nous avons perdu la capacité, l'énergie pour apprendre à partir de nos propres actions. C'est nous qui sommes totalement responsables de nos actes – ce n'est ni la société, ni l'environnement, ni les hommes politiques – nous sommes entièrement responsables de nos actes et du fait d'apprendre à partir d'eux. Dans un tel apprentissage, nous découvrons énormément, car dans chaque être humain, dans le monde entier, il y a l'histoire de l'humanité; en nous, il y a l'anxiété de l'humanité et la peur, la solitude, le désespoir, la souffrance et la douleur; toute cette histoire complexe est en nous. Si vous savez lire ce livre, alors, vous n'avez plus à lire aucun autre livre – excepté des livres techniques, par exemple. Mais, nous sommes négligents, pas pressés d'apprendre sur nous-même, sur nos actions, et nous ne voyons pas que nous sommes responsables de nos actes et de ce qui arrive dans le monde et dans cet infortuné pays.

On doit mettre de l'ordre dans sa maison, car personne sur terre ou dans les cieux ne va le faire pour nous, ni notre gourou, ni nos serments, ni notre dévotion. Nous vivons, nous pensons, nous agissons de façon désordonnée. Comment un esprit désordonné peut-il percevoir ce qui est ordre absolu – comme l'univers est ordre absolu?

Quel est le rapport entre la beauté et un esprit religieux? Vous allez peut-être vous demander pourquoi les religions et les rituels traditionnels ne se refèrent jamais à la beauté. Mais la compréhension de la beauté fait partie de la méditation, pas la beauté d'une femme ou d'un homme, ou la beauté d'un visage qui a sa propre beauté, mais la beauté elle-même, la véritable essence de la beauté. La plupart des moines, des sannyâsins et des esprits que l'on dit portés à la religion, négligent totalement cela et s'endurcissent vis-à-vis de leur environnement. Un jour, où nous étions dans l'Himalaya avec des amis, il y avait un groupe de sannyâsins devant nous, descendant le chemin en chantant; ils ne regardaient jamais les arbres, ils ne voyaient pas la beauté de la terre, la beauté du ciel bleu, les oiseaux, les fleurs, les eaux vives; ils étaient totalement préoccupés par leur salut et leur divertissement personnels. Et cette coutume, cette tradition, dure depuis des milliers d'années. Un homme qui est supposé être religieux, doit fuir, éviter toute beauté, et sa vie devient terne, sans le sens de l'esthétique; et pourtant la beauté est un des délices de la vérité.

Quand vous donnez un jouet à un enfant qui a été bavard, dissipé, qui a joué, crié, quand vous donnez un jouet compliqué à cet enfant, il s'absorbe totalement dans ce jouet, il devient très calme, trouvant du plaisir dans son mécanisme. L'enfant devient complètement concentré, complètement absorbé par ce jouet. Toute l'agitation a été résorbée. Et nous aussi, nous avons des jouets, les jouets de l'idéal et des croyances qui nous absorbent. Si vous adorez une image – parmi toutes les images de la terre, aucune n'est sacrée, elles sont toutes faites par l'esprit de l'homme, par sa pensée – alors nous sommes absorbés, comme un enfant est absorbé par un jouet et nous devenons extraordinairement calme et doux. Quand nous voyons une montagne merveilleuse, couronnée de neige sur un ciel bleu et les vallées profondes qui sont dans l'ombre, leur grande splendeur et leur grande majesté nous absorbent complètement; pendant un moment, nous sommes complètement silencieux car leur majesté nous envahit, nous nous oublions. La beauté est là où vous n'êtes pas. L'essence de la beauté, c'est l'absence de « moi ». L'essence de la méditation, c'est d'explorer le renoncement au moi.

Il faut énormément d'énergie pour méditer et la friction est une perte d'énergie. Quand dans notre vie il y a beaucoup de friction, de conflit entre les gens et d'aversion pour le travail que l'on fait, il y a gaspillage d'énergie. Et pour examiner vraiment très profondément – pas superficiellement, ni verbalement – il faut aller très profondément en soi, dans son propre esprit et voir pourquoi nous vivons comme nous le faisons, toujours en train de perdre de l'énergie, car la méditation est la libération de l'énergie créative.

La religion a joué un rôle immense dans l'histoire de l'homme. Depuis le début des temps, il a lutté pour trouver la vérité. Et maintenant, les religions reconnues du monde moderne ne sont plus du tout des religions, ce ne sont que de vaines répétitions de phrases, de charabia et d'absurdités, une sorte de distraction personnelle sans grande signification. Tous les rituels, tous les dieux – tout particulièrement dans ce pays où il y a, je ne sais combien de milliers de dieux – sont inventés par la pensée. Tous les rituels sont inventés par la pensée. Ce que la pensée crée n'est pas sacré; mais nous attribuons à ces images fabriquées les qualités que nous aimerions qu'elles aient. Nous nous adorons constamment, même si c'est inconsciemment. Tous les rituels dans les temples, les pujas et tout ce que la pensée a fabriqué dans les églises chrétiennes, sont inventés par la pensée; et nous adorons ce que la pensée a créé. Voyez l'ironie, l'illusion et la malhonnêteté de tout ceci.

Les religions du monde ont complètement perdu leur signification. Tous les intellectuels, dans le monde, les évitent, les fuient. Ainsi, quand on utilise les mots « l'esprit religieux », comme le fait souvent l'orateur, ils demandent : « Pourquoi utilisez-vous le mot religieux ? » Étymologiquement, le sens premier de ce mot n'est pas très clair. A l'origine, il signifiait un état de relation avec ce qui est noble, avec ce qui est grand; et pour cela il fallait vivre une vie très laborieuse, scrupuleuse et honnête. Mais tout cela a disparu; nous avons perdu notre intégrité. Si vous écartez ce que sont devenues toutes les traditions religieuses actuelles, avec leurs images et leurs symboles, alors qu'est-ce que la religion ? Pour découvrir ce qu'est un esprit religieux, on doit d'abord découvrir ce qu'est la vérité ; aucun chemin ne mène à la vérité. Il n'y a pas de chemin. Quand on a de la compassion, avec son intelligence, on rencontre ce qui est éternellement vrai. Mais il n'y a pas de direction. Il n'y a pas de capitaine pour nous diriger sur cet océan de la vie. En tant qu'être humain, nous devons le découvrir. On ne peut appartenir à aucun culte, à aucun groupe si l'on veut découvrir la vérité. L'esprit religieux n'appartient à aucune organisation, à aucun groupe, à aucune secte ; il a la qualité d'un esprit global.

Un esprit religieux est un esprit qui est totalement libre de tout attachement, de toute conclusion et de tout concept, il ne s'intéresse qu'à ce qui a vraiment lieu et pas à ce qui devrait être. Il s'occupe chaque jour de sa vie, de ce qui arrive réellement à la fois extérieurement et intérieurement ; il comprend tout ce problème complexe de la vie. L'esprit religieux est libre de tout préjugé, de toute tradition, de tout sens de direction. Pour rencontrer la vérité, vous devez avoir un esprit clair, pas un esprit confus.

Donc, après avoir mis de l'ordre dans notre vie, examinons ce qu'est la méditation – pas comment méditer, ce qui est une question absurde. Quand on demande comment, on veut un système, une méthode, un plan soigneusement conçu. Regardez ce qui arrive quand on suit une méthode, un système. Pourquoi veut-on une méthode, un système ? On s'imagine que c'est plus facile de suivre quelqu'un qui vous dit : « Je vais vous dire comment méditer. » Quand quelqu'un dit comment méditer, il ne sait pas ce qu'est la méditation. Celui qui dit « Je sais ! » ne sait pas. On doit d'abord se rendre compte à quel point un système de méditation est destructif, que ce soit une des nombreuses formes de méditation qui semblent avoir été inventées, indiquant comment s'asseoir, comment respirer, comment faire une chose ou l'autre. Car si l'on observe, on s'apercevra que lorsqu'on pratique quelque chose très souvent, à maintes reprises, notre esprit devient mécanique. Il est déjà mécanique et on y rajoute encore plus de routine ; de cette façon notre esprit s'atrophie progressivement. C'est comme un pianiste qui pratiquerait toujours la même fausse note, aucune musique n'en sortirait. Quand on *voit* la vérité qu'aucun système, aucune méthode, aucune pratique ne nous conduira jamais à la vérité, on les abandonne tous, comme étant fallacieux et inutiles.

Il faut aussi approfondir tout le problème du contrôle. La plupart d'entre nous essaient de contrôler leurs réponses, leurs réactions ; nous tentons de supprimer ou de modeler nos désirs. Dans tout cela, il y a toujours le contrôleur et le contrôlé. On ne se demande jamais : qui est le contrôleur et qui est celui que l'on essaie de contrôler dans cette soi-disant méditation ? Qui est ce contrôleur qui essaie de contrôler ses pensées, sa façon de penser et le reste ? Qui est le contrôleur ? Le contrôleur est certainement cette entité qui a décidé de pratiquer cette méthode ou ce système. Mais qui est cette entité ? Elle provient du passé, c'est la pensée – elle est basée sur la récompense et la punition. Donc le contrôleur appartient au passé et il essaye de contrôler ses pensées ; mais le contrôleur est le contrôlé. Regardez, tout cela est vraiment très simple. Quand vous êtes envieux, vous vous séparez de votre envie. Vous dites : « Je dois contrôler l'envie, je dois la supprimer – ou la rationaliser. » Mais vous n'êtes pas séparé de l'envie, vous êtes l'envie. L'envie n'est pas séparée de vous. Et cependant nous rusons en essayant de contrôler l'envie comme si elle était séparée de nous. Donc, pouvez-vous vivre une vie sans aucun contrôle ? ce qui ne signifie pas que l'on doive se laisser aller à faire tout ce que l'on veut. Je vous en prie, posez-vous cette question : pouvez-vous vivre une vie – qui actuellement est tellement désastreuse, mécanique et répétitive – sans aucune sorte de contrôle ? Cela ne peut se faire que lorsque vous percevez avec une clarté totale ; que lorsque vous faites attention à toute pensée qui surgit – sans se mettre à penser. Quand vous êtes complètement attentif, vous découvrez que vous pouvez vivre sans le conflit qui découle du contrôle. Savez-vous ce que cela veut dire – avoir un esprit qui a compris ce qu'est le contrôle et qui vit sans l'ombre d'un conflit? – cela signifie la liberté totale. Et on doit avoir cette liberté complète pour découvrir ce qui est éternellement vrai.

Nous devons aussi comprendre la différence qualitative entre concentration et attention. La plupart d'entre nous connaissent la concentration. A l'école, au collège, à l'université, nous apprenons à nous concentrer. L'enfant regarde par la fenêtre et le professeur dit : « Concentre-toi sur ton livre. » Et ainsi, nous apprenons ce que cela signifie. Se concentrer implique de rassembler toute son énergie pour se focaliser sur un certain point; mais la pensée s'évade et vous avez une lutte continuelle entre le désir de se concentrer, de consacrer toute votre énergie à regarder votre page et l'esprit qui vagabonde et que vous essayez de contrôler. Tandis qu'au contraire, l'attention n'a ni contrôle, ni concentration. C'est l'attention complète, ce qui signifie consacrer toute votre énergie, votre courage, l'aptitude et l'énergie du cerveau, votre cœur, tout pour faire attention. Quand vous faites vraiment attention, complètement, il n'y a pas de mémorisation et pas d'action basée sur la mémoire. Quand vous faites attention, le cerveau n'enregistre pas. Tandis que si vous vous concentrez, que vous faites un effort, vous agissez toujours à partir de la mémoire – tel un tourne-disque qui répète.

Comprenez la nature d'un cerveau qui n'a besoin d'enregistrer que ce qui est nécessaire. Il est nécessaire d'enregistrer où nous vivons, ainsi que les activités pratiques de la vie. Mais il n'est pas nécessaire d'enregistrer psychologiquement, intérieurement, que ce soit l'insulte ou la flatterie, etc. Avez-vous déjà essayé ? C'est probablement tout à fait nouveau pour vous. Quand vous le faites, le cerveau, l'esprit, est entièrement débarrassé de tout conditionnement.

Nous sommes tous esclaves de la tradition et nous pensons aussi que nous sommes complètement différents les uns des autres. Nous ne le sommes pas. Nous connaissons tous les mêmes grandes douleurs, tristesses, nous versons tous les mêmes pleurs, nous sommes tous des êtres humains, nous ne sommes pas des hindous, des musulmans ou des russes – ce sont des étiquettes vides de sens. L'esprit doit être totalement libre ; ce qui signifie que l'on doit être totalement seul, mais nous avons très peur d'être seul.

L'esprit doit être libre, tout à fait tranquille et sans contrôle. Quand l'esprit est complètement religieux, il est non seulement libre, mais il est aussi capable d'examiner la nature de la vérité pour laquelle il n'y a aucun guide, aucun chemin.

Seul l'esprit silencieux, l'esprit qui est libre, peut découvrir ce qui est au-delà du temps.

N'avez-vous jamais remarqué – si vous vous êtes observé – que votre esprit ne cesse jamais de bavarder, éternellement occupé par une chose ou une autre? Si vous êtes un Sannyâsin, votre esprit est occupé par Dieu, par les prières, par ceci ou cela. Si vous êtes une ménagère, votre esprit est occupé par ce que vous allez faire à manger pour le prochain repas, comment faire ceci ou cela. L'homme d'affaires est occupé par le commerce; le politicien par les partis politiques et le prêtre est occupé par ses propres absurdités. Ainsi nos esprits sont toujours occupés et n'ont aucun espace, alors que l'espace est nécessaire.

L'espace implique aussi un vide, un silence qui a une immense énergie. Vous pouvez réduire votre esprit au silence en prenant une drogue. Vous pouvez ralentir votre pensée et devenir de plus en plus calme en absorbant un produit chimique. Mais ce silence est du même ordre que la suppression du son. Avez-vous jamais cherché à savoir ce que c'est que d'avoir un esprit naturellement, absolument silencieux, sans un mouvement, qui n'enregistre que les choses qui sont nécessaires, de sorte que votre psychisme, votre nature intérieure, devient absolument calme? Avez-vous jamais examiné cela, ou bien êtes-vous, tout simplement, prisonnier dans le courant de la tradition, dans le flot du travail et trop préoccupé par l'avenir?

Là où il y a le silence, il y a l'espace – pas l'espace auquel nous pensons habituellement, celui qui va d'un point à un autre. Là où est le silence il n'y a pas de point, il n'y a que le silence. Et ce silence a cette extraordinaire énergie de l'univers.

L'univers n'a pas de cause, il existe. C'est un fait scientifique. Mais, nous, êtres humains, sommes concernés par les causes. Par l'analyse, vous pouvez découvrir la cause de la pauvreté dans ce pays, ou dans d'autres; vous pouvez trouver la cause de la surpopulation, le manque de contrôle des naissances. Vous pouvez trouver pourquoi les êtres humains sont divisés en Siks, hindous, musulmans etc. Vous pouvez découvrir la cause de votre angoisse ou de votre solitude, mais vous n'êtes pas libre de la causalité. Toutes nos actions sont fondées sur la récompense ou sur la punition – même si c'est très subtil – ce qui est une causalité. Pour comprendre l'ordre de l'univers, qui est sans cause, est-il possible de vivre une vie sans cause? C'est l'ordre suprême. Alors, nous parvient une énergie créatrice qui provient de cet ordre. La méditation, c'est libérer cette énergie créatrice.

Il est extrêmement important de connaître et de comprendre, la profondeur et la beauté de la méditation. L'homme a toujours demandé, depuis des temps immémoriaux, s'il y avait quelque chose au-delà de toute la pensée, au-delà de toutes les inventions romanesques et au-delà du temps. Il s'est toujours demandé : « Y a-t-il quelque chose au-delà de toute cette souffrance, au-delà de tout ce chaos, au-delà des guerres, au-delà des batailles entre les hommes. Y a-t-il quelque chose qui soit immuable, sacré, totalement pur, que la pensée ou l'expérience n'aient jamais touché ? Ceci a été la quête des personnes sérieuses depuis les temps anciens. Pour le trouver, pour le découvrir, la méditation est nécessaire. Pas la méditation répétitive qui n'a aucun sens. Il y a une énergie créatrice, qui est vraiment religieuse, quand l'esprit est dégagé de tout conflit, de tout le tourment de la pensée. Pour rencontrer ce qui n'a pas de début, pas de fin – c'est la vraie profondeur de la méditation et sa beauté – cela nécessite d'être libre de tout conditionnement.

Il y a une sécurité totale dans l'intelligence compatissante – une entière sécurité. Mais nous voulons la sécurité dans les idées, les croyances, les concepts et les idéaux; nous nous y cramponnons, ils sont notre sécurité – même s'ils sont faux, même s'ils sont irrationnels. Quand la compassion est là, avec son intelligence suprême, il y a la sécurité – si l'on cherche la sécurité. En fait, quand la compassion est là, quand il y a cette intelligence, il n'est pas question de sécurité.

Donc il y a une origine, un terrain originel, à partir duquel tout arrive et ce terrain originel n'est pas le mot. Le mot n'est jamais la chose. Et la méditation, c'est découvrir ce terrain qui est à l'origine de toutes choses et qui est dégagé du temps. C'est ainsi qu'opère la méditation. Et celui qui le découvre est béni.

le 8 novembre 1981

CHAPITRE III

BÉNARÈS

L'orateur ne donne pas une conférence; il ne vous fait pas un exposé; il ne vous instruit pas. C'est une conversation entre deux amis qui ont une certaine affection l'un pour l'autre, une certaine considération réciproque, qui ne se trahiront pas et qui ont en commun certains intérêts profonds. Donc, ils s'entretiennent amicalement, avec un sentiment de profonde communication entre eux, assis sous un arbre par un beau matin, avec la rosée sur l'herbe, discutant ensemble des complexités de la vie. C'est la relation que vous et l'orateur avez – nous pouvons ne pas nous rencontrer réellement – nous sommes trop nombreux – mais c'est comme si nous suivions un chemin, en regardant les arbres, les oiseaux, les fleurs, en respirant le parfum de l'air et que nous parlions sérieusement de nos vies; pas superficiellement, ni avec désinvolture, mais intéressé par la résolution de nos problèmes. L'orateur dit cela sérieusement; ce n'est pas de la rhétorique pour faire de l'effet; les problèmes de notre vie nous intéressent trop sérieusement pour agir ainsi.

Ayant établi, entre nous, une certaine communication – malheureusement, ce n'est qu'une communication verbale mais entre les lignes, entre le contenu des mots, il y a, si on est un tant soit peu conscient, une relation plus profonde, plus intense – nous devrions réfléchir à la nature de nos problèmes. Nous tous avons des problèmes – sexuels, intellectuels, des problèmes de relations, les problèmes que l'humanité a créés avec les guerres, le nationalisme et les soi-disant religions. Qu'est-ce qu'un problème? Un problème signifie un défi qui vous est lancé, quelque chose auquel vous devez faire face, un défi, grand ou petit. Un problème non résolu demande qu'on l'affronte, qu'on le comprenne, qu'on le résolve et qu'on agisse. Un problème, c'est un défi qui vous est lancé, souvent à l'improviste, soit à un niveau conscient ou à un niveau inconscient, c'est un défi, superficiel ou profond.

Comment peut-on aborder un problème? La façon dont vous abordez un problème est plus importante que le problème lui-même. En général, on aborde le problème avec peur ou avec le désir de le résoudre, d'aller au-delà, de le combattre, de lui échapper ou de le négliger totalement; ou alors on le tolère. Le sens de ce mot

« aborder », c'est de venir aussi près que possible, de s'approcher. Quand on a un problème, comment doit-on l'aborder? Doit-on venir à proximité de lui, près de lui, ou doit-on le fuir? Ou a-t-on le désir de le dépasser? Tant que l'on a un motif, celui-ci conditionne notre façon de l'aborder.

Si on n'aborde pas un problème librement, on oriente la solution conformément à son conditionnement. Supposons que l'on soit conditionné à supprimer un certain problème, alors l'approche est conditionnée et le problème est déformé, tandis qu'au contraire si on l'aborde sans mobile et de très près, alors la réponse est contenue dans le problème, une réponse qui ne s'écarte pas du problème.

C'est très important de voir comment on aborde un problème, que ce soit un problème politique, religieux ou de relation personnelle. Il y a tant de problèmes, on est accablé de problèmes. Même la méditation devient un problème. On ne regarde jamais vraiment ses problèmes. Alors, pourquoi vit-on accablé de problèmes? Des problèmes que l'on n'a pas compris ou dissous et qui déforment toute notre vie. C'est très important d'être conscient de la façon dont on aborde un problème. On l'observe sans essayer d'appliquer une solution; c'est-à-dire, voir dans le problème lui-même, la réponse. Et cela dépend de la façon dont on l'aborde, de la façon dont on le regarde. C'est très important d'être conscient de son conditionnement quand on l'aborde et d'être dégagé de ce conditionnement. Qu'est-ce que la perception ? Qu'est-ce que voir ? Comment voyez-vous cet arbre ? Regardez-le un instant. Avec quels yeux le regardez-vous ? Est-ce une observation purement optique, regardant l'arbre avec juste une réaction optique, observant la forme, le motif et la lumière qui joue sur la feuille ? Ou bien, quand vous observez un arbre, le nommez-vous, disant « c'est un chêne » et passez-vous à côté ? En le nommant, vous ne regardez plus l'arbre – le mot nie la chose. Pouvez-vous le regarder sans le mot ?

Donc, êtes-vous conscient de votre façon d'aborder, de regarder cet arbre ? L'observez-vous partiellement, avec un seul sens, le sens optique, ou le voyez-vous, l'entendez-vous, le sentez-vous, le ressentez-vous, en voyez-vous le dessin, en saisissez-vous la totalité ? Ou bien, le regardez-vous comme s'il était différent de vous – bien sûr, quand vous le regardez, vous n'êtes pas l'arbre. Mais pouvez-vous le regarder sans un mot, avec tous vos sens réagissant à la totalité de sa beauté ? Ainsi la perception signifie non seulement d'observer avec tous nos sens, mais aussi de voir, ou d'être conscient s'il y a ou s'il n'y a pas de division entre vous et ce que vous observez. Vous n'avez, sans doute, jamais réfléchi à cela. C'est important de le comprendre, car nous allons, maintenant, discuter de la façon d'aborder la peur et de la perception de la totalité de son contenu. C'est important d'être conscient de la façon dont vous abordez ce fardeau que l'homme porte depuis des millénaires. C'est plus facile de percevoir quelque chose à l'extérieur de vous, comme un arbre, comme une rivière ou comme le ciel bleu, sans nommer, en ne faisant qu'observer, mais pouvez-vous vous regarder vous-même, regarder la totalité du contenu de votre conscience, la totalité de votre esprit, votre être, votre démarche, votre pensée, vos sensations, votre découragement, de telle sorte qu'il n'y ait aucune division entre tout cela et vous.

S'il n'y a pas de division, il n'y a pas de conflit. Là où il y a division, le conflit est inévitable : c'est une loi. Donc, en nous, y a-t-il une division comme celle entre l'observateur et la chose observée? Si l'observateur aborde la peur, l'envie ou la souffrance comme si elles étaient différentes de lui-même et qu'il doive les résoudre, les supprimer, les comprendre, les dépasser, alors la divison et la lutte s'installent.

Alors, comment abordez-vous la peur? La percevez-vous sans aucune distortion, sans réaction de fuite, de suppression, d'explication ou même d'analyse? La plupart d'entre nous ont peur d'une chose ou de beaucoup de choses. Vous pouvez avoir peur de votre femme ou de votre mari, avoir peur de perdre votre travail, peur de n'avoir aucune sécurité dans votre vieillesse, peur de l'opinion publique – ce qui est la forme la plus stupide de peur – avoir peur de beaucoup de choses – de l'obscurité, de la mort etc... Nous n'allons pas, maintenant, examiner ensemble ce qui nous fait peur mais ce qu'est la peur elle-même. Nous ne parlons pas des sujets de peur, mais de la nature de la peur, de sa façon de surgir et de votre façon de l'aborder. Y a-t-il une motivation derrière notre approche du problème de la peur ? On a bien évidemment un mobile, celui de le dépasser, de le supprimer, de l'éviter, de ne pas s'en occuper. Et, pendant la plus grande partie de notre vie, nous avons eu l'habitude de la peur, on la tolère donc. S'il y a le moindre motif, on ne peut pas voir clairement le problème, on ne peut pas s'en approcher. Et, quand on regarde la peur, est-ce que l'on considère qu'elle est différente de soi, comme si on était quelqu'un de l'extérieur qui regarde à l'intérieur ou comme quelqu'un de l'intérieur qui regarde à l'extérieur ? Mais la peur est-elle différente de soi ? Bien sûr que non, la colère non plus. Mais l'éducation, la religion nous ont amenés à nous sentir séparés d'elle, de telle sorte que l'on doit la combattre et en finir avec elle. On ne se demande jamais si cette chose que l'on appelle la peur est vraiment séparée de soi. Elle ne l'est pas, et quand on le comprend, on réalise que l'observateur est l'observé.

Supposons que l'on soit envieux. On peut penser que l'envie est différente de soi, mais la réalité est que l'on en fait partie. Nous faisons partie de l'envie, comme nous faisons partie de l'avidité, de la colère, de la souffrance, et de la douleur; donc cette douleur, cette souffrance, cette avidité, cette envie, cette angoisse et cette solitude, c'est soi. On est tout cela. Voyez-en, d'abord la logique, c'est ainsi. Et quand on le voit logiquement, est-ce que l'on fabrique une abstraction à partir de ce que l'on a vu, de telle sorte que cela devient une idée, une apparence de réalité? On fabrique une abstraction, une idée selon laquelle on devrait fuir, et alors on agit sur la base de cette idée; et cela nous empêche d'observer de près ce qu'est la peur. Mais si on n'en fait pas une abstraction et que l'on voit que c'est un fait, alors on l'aborde sans motif. On l'observe comme quelque chose qui n'est pas différent de soi; on comprend l'association. On l'observe comme une partie de soi, on *est* cela, il n'y a pas de division entre soi et cela; ainsi notre observation est que l'observateur est l'observé; l'observé n'est pas différent de soi.

Donc qu'est-ce que la peur? Approchons-nous-en très près. Car on ne peut voir très clairement que si l'on est très près. Qu'est-ce que la peur? Est-ce le temps sous forme d'un mouvement du passé, le présent modifié et qui se poursuit? On est le passé, le présent et également le futur. On est le résultat du passé, un millier d'années et plus. On est aussi le présent avec ses impressions, ses conditions sociales actuelles, son climat actuel, on est tout cela et aussi le futur. On est le passé, modifié dans le présent et poursuivi dans le futur; c'est le temps intérieur. Il y a aussi le temps extérieur, le temps de la montre, le temps du lever et du coucher du soleil, de la succession du matin, de l'après-midi et du soir. Cela prend du temps extérieur d'apprendre une langue, d'apprendre la technique nécessaire pour conduire une voiture, pour devenir un menuisier, un ingénieur ou même un homme politique. Il y a un temps extérieur, celui qui est nécessaire pour parcourir la distance qui va d'ici à là et il y a également un temps qui prend la forme de l'espoir, c'est le temps intérieur. On souhaite devenir non-violent – ce qui est absurde. On souhaite obtenir ou éviter la douleur ou la punition, on espère avoir une récompense. Donc, il n'y a pas seulement le temps extérieur, physique, mais il y a aussi le temps intérieur, psychologique. On n'est pas ceci, mais on deviendra cela; ce qui signifie le temps. Le temps physique est réel, il est là, il est onze heures ou midi, maintenant. Mais intérieurement, psychologiquement, on a supposé qu'il y avait le temps : c'est-à-dire « Je ne suis pas bon mais je serai bon ». Maintenant, on conteste ce temps intérieur, on doute de son utilité. Quand le temps est là à l'intérieur, il y a la peur. On a un travail, mais on peut le perdre, ce qui est le futur, ce qui est le temps. On a connu la douleur et on espère qu'on ne connaîtra plus jamais une telle douleur. C'est le souvenir de la douleur, et la prolongation de ce souvenir, en espérant qu'il n'y aura plus de douleur future.

Donc, on se demande si le temps ne fait pas partie de la peur. Le temps intérieur n'est-il pas de la peur ? Et la pensée n'est-elle pas un autre facteur de peur ? On pense à sa douleur, celle que l'on a ressentie la semaine dernière et qui est maintenant enregistrée dans le cerveau ; on pense que cette douleur peut se renouveler demain. Ainsi la pensée fonctionne et elle dit : « J'ai souffert et je souhaite que cela ne se renouvelle pas. » La pensée et le temps font donc partie de la peur. La peur c'est un souvenir, donc de la pensée et c'est aussi le temps, le futur. Je suis en sécurité aujourd'hui et je peux ne pas l'être demain, alors la peur surgit. Donc, temps plus pensée égalent peur.

Maintenant, voyez en vous-même que c'est vrai, ne vous contentez pas de m'écouter, d'écouter l'orateur, de traduire en mots et de mémoriser tout cela ; mais voyez vraiment que c'est un fait, pas une abstraction sous forme d'idée. Vous devez vous rendre compte si en écoutant vous avez fabriqué une idée, si vous avez forgé une abstraction à partir de ce que vous avez entendu et que vous l'avez transformée en une idée ou si vous faites vraiment face à la réalité de la peur, qui est temps et pensée.

Maintenant, la façon dont vous percevez le mouvement global de la peur, est importante. Soit vous le percevez en le niant ou bien vous le percevez sans la division du moi et de la peur, réalisant que vous êtes la peur, de telle sorte que vous restez avec cette peur.

Il y a deux façons de nier la peur : soit en la refusant totalement en disant : « Je n'ai pas peur – ce qui est absurde – ou en l'annulant en s'apercevant que l'observateur est l'observé de telle sorte qu'il n'y ait aucune action. Normalement, nous voulons refuser la peur, la refuser dans le sens d'en finir avec elle, de la fuir, de la détruire, de se protéger d'elle – ce sont toutes des formes de refus, un tel refus obéit à la peur. Mais, il y a une forme totalement différente de refus, qui est le commencement d'un nouveau mouvement, dans lequel l'observateur est l'observé, la peur c'est « moi ». L'observateur est la peur, donc il ne peut pas agir sur elle; alors il y a une sorte de refus totalement différent qui est le début d'un mouvement neuf. Vous êtes-vous rendu compte que lorsque vous obéissez à la peur, vous la renforcez ? Et, la fuir, la supprimer, l'analyser, en découvrir la cause, c'est lui obéir.

Vous essayez de supprimer quelque chose, comme si cette chose n'était pas vous. Mais quand vous réalisez que vous êtes cela et que, par conséquent, vous ne pouvez rien y faire, alors il y a une non-action et un mouvement complètement différent prend naissance.

Le plaisir est-il différent de la peur? Ou la peur est-elle plaisir? Quand vous comprenez la nature du plaisir qui est aussi temps et pensée, ce sont comme les deux faces d'une même pièce. Dans le passé, vous avez fait l'expérience de quelque chose de très beau et cela a été enregistré sous forme de mémoire et vous voulez répéter ce plaisir; de même que vous vous souvenez de la peur d'un événement passé et que vous voulez l'éviter. Ces deux mouvements sont semblables bien que vous appeliez l'un plaisir et l'autre peur.

Y a-t-il une fin à la souffrance? L'homme a fait ce qu'il a pu pour transcender la souffrance. Il a adoré la souffrance, il a fui la souffrance, il l'a gardée près de son cœur, il a essayé de chercher du réconfort pour s'éloigner de la souffrance, il a poursuivi le chemin du bonheur, il s'y est cramponné, il s'y est accroché pour éviter de souffrir. Pourtant, l'homme a souffert. Les êtres humains ont souffert dans le monde entier et à travers les âges. Ils ont eu dix mille guerres – songez aux hommes et aux femmes qui ont été mutilés, tués et aux larmes qui ont été versées, la détresse des mères, des femmes, et à tous les gens qui ont perdu leurs enfants, leurs maris, leurs amis dans des guerres, depuis des millénaires, et nous continuons toujours, en multipliant les armements sur une vaste échelle. Il y a cette immense souffrance de l'humanité. Ce pauvre homme sur le bord de cette route qui ne connaîtra jamais un bon bain, des vêtements propres ou un voyage en avion ; tous les plaisirs que l'on a, il ne les connaîtra jamais. Il y a la souffrance de l'homme très savant et celle de l'homme peu instruit. Il y a la souffrance de l'ignorance ; il y a la souffrance de la solitude. La plupart des gens sont seuls ; ils ont beaucoup d'amis, beaucoup de savoir, mais ils sont très seuls. Vous connaissez cette solitude, si vous êtes un peu conscient de vous-même – un sentiment d'isolement complet. Vous pouvez avoir une femme, des enfants, beaucoup d'amis, mais un jour viendra où un événement se produira qui vous feront vous sentir complètement isolé, seul. C'est une souffrance énorme. Et puis, il y a la souffrance de la mort ; la douleur d'avoir perdu quelqu'un. Il y a aussi la souffrance qui a été accumulée, récoltée par les millénaires d'existence humaine.

Et puis, il y a la souffrance de notre propre dégénérescence, de notre propre perte, de notre manque d'intelligence, de capacité. Et nous nous demandons si cette souffrance peut cesser ? Ou est-ce que l'on arrive à la souffrance avec la souffrance, et que l'on meurt avec la souffrance? Logiquement, rationnellement, intellectuellement, nous pouvons trouver bien des raisons à la souffrance, ce sont toutes les explications du Bouddhisme, de l'Hindouisme, du Christianisme ou de l'Islam. Mais en dépit des explications, des causes, des autorités qui cherchent continuellement à l'expliquer, la souffrance est toujours là avec nous. Donc, est-il possible de faire cesser la souffrance? Car s'il n'y a pas de fin à la souffrance, il n'y a pas d'amour, il n'y a pas de compassion. On doit examiner cela très profondément et voir si elle peut cesser.

L'orateur dit qu'il y a une fin à la souffrance, une fin complète à la souffrance, ce qui ne signifie pas qu'il ne se soucie pas ou qu'il soit indifférent ou sans cœur. Avec la fin de la souffrance, il y a le début de l'amour. Et naturellement, vous demandez à l'orateur : « Comment ? » Comment peut-on faire cesser la souffrance? Quand vous demandez : « Comment ? » vous voulez un système, une méthode, un processus. C'est pourquoi vous demandez : « Dites-moi comment y parvenir. Je suivrai le chemin, la route ». Vous voulez une direction quand vous dites : « Comment puis-je faire cesser la souffrance? Cette question, cette demande, cette recherche dit : « Montrez-moi » Quand vous demandez comment, vous poser la mauvaise question, si je puis vous le faire remarquer, car vous ne pensez qu'à vous en débarrasser. De cette façon, vous ne vous en approchez pas. Si vous voulez regarder un arbre, vous devez vous en approcher pour en voir la beauté, l'ombre, la couleur de la feuille, pour savoir s'il y a des fleurs ou non – vous devez vous en approcher. Mais vous ne vous approchez jamais de la souffrance. Vous ne vous en approchez jamais car vous l'évitez et la fuyez constamment. Donc, la façon d'aborder la souffrance a beaucoup d'importance, selon que vous l'abordez avec l'intention d'y échapper, de chercher du réconfort et de l'éviter ou que vous l'abordez et que vous venez très, très près d'elle. Découvrez si vous vous en approchez. Vous ne pouvez pas vous en rapprocher si vous vous apitoyez sur vous-même ou si vous avez le désir d'en découvrir la cause, l'explication, d'une manière ou d'une autre; dans ce cas, vous l'évitez. Donc, la façon de l'aborder, de s'en approcher est très importante; ainsi que la façon de la voir, la façon de comprendre la douleur.

Est-ce le mot « souffrance » qui vous fait ressentir la souffrance? Ou bien est-ce un fait? Et si c'est un fait, voulez-vous vous en rapprocher afin que la souffrance soit vous? Vous n'êtes pas différent de la souffrance. C'est la première chose à voir – vous n'êtes pas différent de la souffrance. Vous êtes la souffrance. Vous êtes l'angoisse, la solitude, le plaisir, la douleur, la peur, ce sentiment d'isolement. Vous êtes tout cela. Ainsi, vous vous en approchez, vous êtes cela et par conséquent, vous restez avec elle.

Quand vous voulez regarder cet arbre vous l'approchez, vous en regardez tous les détails, vous prenez votre temps. Vous regardez, regardez, regardez et il vous révèle toute sa beauté. Vous ne racontez pas votre histoire à l'arbre, c'est lui qui vous parle, si vous l'observez. De la même façon, si vous vous approchez de la souffrance, prenez-la, regardez-la, ne la fuyez pas, voyez ce qu'elle essaie de vous révéler, sa profondeur, sa beauté, son immensité, alors si vous restez entièrement avec elle, avec ce seul mouvement, la souffrance cesse. Ne vous contentez pas de mémoriser cela et ensuite de le répéter! C'est ce que vos cerveaux ont l'habitude de faire : mémoriser ce qu'a dit l'orateur et puis dire : « Comment puis-je mettre tout cela en pratique ? » Car vous êtes elle, vous êtes tout cela et par conséquent vous ne pouvez pas vous échapper de vous-même. Vous la regardez et il n'y a pas de division entre l'observateur et l'observé, vous êtes cela et il n'y a pas de division. Quand il n'y a pas de division, vous demeurez entièrement avec elle. Cela nécessite beaucoup d'attention, beaucoup d'intensité, de clarté, la clarté de l'esprit qui voit instantanément la vérité.

Alors, l'amour naît quand la souffrance cesse. Je me demande si vous aimez. Aimez-vous? Votre femme, vos enfants, ce que l'on appelle votre pays? Aimez-vous la terre, la beauté d'un arbre, la beauté d'une personne? Ou bien êtes-vous si terriblement centré sur vous-même que vous n'avez aucune perception de quoi que ce soit. L'amour apporte la compassion. La compassion ne s'occupe pas d'assistance sociale. La compassion a sa propre intelligence. Mais, vous ne connaissez rien à tout cela. Tout ce que vous connaissez ce sont vos désirs, vos ambitions, vos déceptions, votre malhonnêteté. Quand on vous pose des questions très profondes, qui vous remuent, vous devenez négligent. Quand je vous pose une question comme celle-là : « aimez-vous quelqu'un? » vos visages sont vides. Et c'est le résultat de votre religion, de votre dévotion à vos gourous absurdes, de votre attachement envers vos dirigeants – ce n'est pas de l'attachement, vous avez peur et par conséquent vous suivez. Après tous ces millénaires, vous êtes ce que vous êtes maintenant, pensez à cette tragédie! C'est votre tragédie, vous comprenez? Donc demandez-vous, si l'on peut vous le suggérer, en marchant avec vous sur ce chemin, comme un ami : « Savez-vous ce que signifie l'amour? » L'amour qui ne demande rien à un autre. Posez-vous la question. Il ne demande rien à votre femme, à votre mari – rien n'est demandé à un autre, ni physiquement, ni émotionnellement, ni intellectuellement. Ne pas suivre un autre, ne pas avoir de concept et suivre ce concept. Car l'amour n'est pas la jalousie, l'amour n'a aucun pouvoir, dans le sens courant de ce mot. L'amour ne recherche pas une position sociale, du prestige, du pouvoir. Mais il a sa propre capacité, sa propre habileté et sa propre intelligence.

le 26 novembre 1981

CHAPITRE IV

MADRAS

Nous parlions hier du conflit. Nous disions que nous, les êtres humains vivons sur cette belle terre, avec tous ses vastes trésors, avec ses montagnes, ses rivières et ses lacs, depuis des millénaires et cependant nous vivons dans un perpétuel conflit. Pas seulement le conflit extérieur avec l'environnement, avec la nature, avec les autres, mais aussi intérieurement, soi-disant spirituellement. Et nous sommes toujours en constant conflit, depuis l'instant de notre naissance jusqu'à celui de notre mort. Nous le supportons. Nous nous y sommes habitués, nous le tolérons. Nous trouvons bien des raisons pour justifier le fait de vivre en conflit; nous pensons que le conflit, la lutte, la bagarre incessante sont synonymes de progrès – progrès extérieur et réussite intérieure – en direction du but le plus élevé. Il y a tant de formes de conflit; l'homme qui lutte pour obtenir un résultat, l'homme qui lutte avec la nature et qui essaie de la conquérir.

A quoi avons-nous réduit ce monde! C'est un monde si beau, avec ses ravissantes collines, ses montagnes merveilleuses et ses formidables rivières. Après trois mille ans de souffrance humaine, de lutte entre les hommes, d'obéissance, de soumission, d'entre-déchirement, voilà à quoi nous l'avons réduit : une masse confuse d'êtres humains sauvages et irréfléchis qui ne prennent pas soin de la terre, ni de ses splendeurs, ni de la beauté d'un lac, d'une mare ou de la rivière rapide et bondissante; personne ne semble s'en soucier. Nous ne nous intéressons qu'à nos petits moi, nos petits problèmes et ceci après trois ou cinq mille ans de prétendue culture.

Cette après-midi, nous allons regarder les choses en face. La vie est devenue extrêmement dangereuse, incertaine, absolument sans aucun sens. Vous pouvez inventer bien des sens, bien des significations, mais notre véritable vie quotidienne, qu'elle dure trente, quarante ou cent ans, a perdu toute signification – à part gagner de l'argent, être quelqu'un, être puissant etc. Je regrette, mais cela doit être dit.

Aucun homme politique, ni aucune sorte de politique, qu'elle soit de gauche, de droite ou du centre, ne résoudra aucun de nos problèmes. Résoudre les problèmes n'intéresse pas les politiciens, ils ne s'occupent que d'eux et de conserver leur situation. Et les gourous et les religions ont trahi l'homme. Vous avez lu les Upanishads, les Brahmasoutras, les Bhagavad Gîtâ en pure perte. C'est le jeu des gourous de les lire à voix haute aux auditoires qui sont supposés illuminés, intelligents. On ne peut pas faire confiance aux hommes politiques, aux gouvernements, ni aux écrits religieux ou à un gourou, quel qu'il soit, car ils ont fait de ce pays ce qu'il est aujourd'hui. Si vous continuez à chercher à être un dirigeant, vous ferez également fausse route. Et, comme personne ne peut vous aider, personne, vous devez être totalement, complètement, responsable de vous-même – responsable de votre conduite, de votre comportement, de vos actions.

Il est nécessaire et important de découvrir si nous pouvons vivre sans conflit dans nos vies, tant intérieurement qu'extérieurement. Nous devons nous demander, pourquoi, après tous ces millénaires, les êtres humains n'ont pas résolu le problème du conflit, avec les autres ou en eux-mêmes. C'est une question très importante que l'on doit se poser : pourquoi nous soumettons-nous et succombons-nous au conflit, qui est une lutte pour devenir ou ne pas devenir quelque chose, la lutte pour atteindre un but, un progrès ou un succès personnel, essayant de réaliser un de nos désirs, le conflit de la guerre, les préparatifs de guerre – dont vous n'êtes peut-être, pas conscients? Il y a aussi le conflit entre l'homme et la femme, sexuellement ou dans leurs relations quotidiennes. Apparemment, ce conflit ne se situe pas seulement au niveau conscient, mais également en profondeur dans les replis de l'esprit. Il y a du conflit dans la prétention, dans cette tentative d'être quelque chose que vous n'êtes pas, et le conflit qui existe en essayant de gagner le paradis, d'atteindre Dieu ou quelle que soit la façon dont vous aimez appeler ce que vous adorez et vénérez : le conflit dans la méditation, la lutte pour méditer, la lutte contre la léthargie et l'indolence. Notre vie, dès le tout début, depuis l'instant de notre naissance jusqu'à celui de notre mort, est un conflit perpétuel.

Nous devons découvrir pourquoi l'homme – vous en tant qu'être humain, représentant tout le monde – a toléré le conflit, qu'il l'a supporté et qu'il s'y est habitué. Nous examinons ensemble, très sérieusement, s'il est possible d'être dégagé du conflit; car le conflit, consciemment ou inconsciemment, engendre inévitablement une société qui est nous-même en plus vaste, une société en conflit. La société n'est pas une abstraction, ce n'est pas une idée, c'est une relation entre l'homme et l'homme. Si cette relation est en conflit, douloureuse, déprimante et angoissante, alors nous créons une société qui nous représente. C'est un fait. L'idée de la société, *l'idée*, n'est pas la société réelle. La société est ce que nous sommes entre nous. Et nous nous demandons si ce conflit peut cesser ?

Qu'est-ce que le conflit ? Quand nous n'acceptons pas ce qui est réellement, quand nous fuyons dans ce qu'on appelle un idéal – le contraire de ce qui est – alors le conflit est inévitable. Quand on est incapable de regarder et d'observer ce que l'on fait et ce que l'on pense vraiment, on évite ce qui est et l'on projette un idéal, alors il y a conflit entre « ce qui est » et « ce qui devrait être ». Ce n'est pas pour mon plaisir que je vous parle, mais pour vous faire comprendre, si vous êtes sérieux, qu'il y a une façon de vivre sans aucun conflit. Si cela vous intéresse, si cela vous concerne, si vous voulez découvrir une façon de vivre qui soit exempte de ce sentiment d'effort vain, alors, je vous en prie, écoutez très attentivement, pas ce que dit l'orateur, mais écoutez la réalité, la vérité de ce qui est dit, de telle sorte que ce soit votre propre observation. L'orateur ne vous montre pas quelque chose mais nous regardons ensemble. Cela n'est d'aucune utilité pour l'orateur de parler à des visages vides ou à des gens qui s'ennuient. Puisque vous avez pris la peine de venir et de vous asseoir sous ces arbres merveilleux, faites donc attention, car nous parlons ensemble de questions très sérieuses.

Nous disions que le conflit existe quand on néglige ce qui a vraiment lieu et que l'on traduit ce qui est, en fonction d'un idéal, en fonction de

« ce qui devrait être », en un concept que nous avons accepté ou que nous avons nous-même créé. Donc, quand il y a cette division entre « ce qui est » et « ce qui devrait être », le conflit est inévitable. C'est une loi – ce n'est pas celle de l'orateur, mais c'est une loi. Donc, nous allons examiner pourquoi les êtres humains n'ont jamais affronté « ce qui est », et qu'ils ont toujours tenté de le fuir.

Ce pays a toujours parlé de la non-violence. On a prêché la non-violence encore et toujours, en politique, en religion, par différents leaders que vous avez eus – la non-violence. La non-violence n'est pas un fait, ce n'est qu'une idée, une théorie, un ensemble de mots, le fait réel est que vous êtes violents. C'est le fait. C'est « ce qui est ». Mais nous ne sommes pas capables de comprendre « ce qui est » et c'est pourquoi nous créons cette absurdité appelée la non-violence. Et cela donne naissance au conflit entre « ce qui est » et « ce qui devrait être ». En même temps que vous poursuivez la non-violence, vous semez les graines de la violence. C'est tellement évident. Donc, pouvons-nous regarder ensemble « ce qui est » sans le fuir, sans idéal, sans suppression ou fuite de ce « qui est ». Par notre héritage animal – du singe, etc. – nous sommes violents. La violence prend de nombreuses formes, elle ne se cantonne pas aux actions brutales, aux échanges de coups. La violence est une question très complexe; elle englobe l'imitation, le conformisme, l'obéissance. Quand vous prétendez être ce que vous n'êtes pas, c'est encore elle.

Nous sommes violents, c'est un fait. Nous nous mettons en colère, nous nous conformons, nous imitons, nous suivons, nous sommes agressifs – et l'agression prend bien des formes, l'agression polie et aimable, qui prend des gants et vous persuade en utilisant l'affection; c'est une forme de violence. Vous forcer à penser d'une certaine façon, c'est de la violence. La violence, c'est aussi de vous prendre pour ce que vous n'êtes pas. Comprenez que la violence, ce n'est pas seulement être en colère et échanger des coups, c'est une forme de violence très superficielle. La violence est très, très complexe et pour la comprendre, pour pénétrer ses profondeurs mêmes, on doit d'abord voir le fait et ne pas se contenter d'affirmer « Nous devrions être non violents ».

Il n'y a que ce qui est, qui est la violence. La non-violence est un non-fait, ce n'est pas une réalité, c'est une projection de la pensée en vue d'échapper à la violence ou de l'accepter, et de prétendre que nous devenons non violents. Donc, pouvons-nous regarder la violence, débarrassés de tout cela, dégagés de la fuite, des idéaux, du refoulement et observer réellement ce qu'est la violence?

Nous devons donc apprendre ensemble comment observer. Dans cette enquête, il n'y a pas d'autorité, mais quand votre esprit est paralysé par l'autorité, comme c'est le cas, c'est très difficile d'être libre et ainsi capable de regarder la violence. C'est important de comprendre comment observer, pour observer ce qui se passe dans le monde – la misère, le désordre, l'hypocrisie, le manque d'intégrité, les actions brutales qui se déroulent, le terrorisme, les prises d'otages et les gourous avec leurs propres camps de concentration. Je vous en prie, ne riez pas, vous en faites partie. Tout cela, c'est de la violence. Comment quelqu'un peut-il dire : « Je sais, suivez-moi. » C'est une déclaration scandaleuse. Donc, nous demandons : qu'est-ce qu'observer ? Qu'est-ce qu'observer l'environnement autour de vous, les arbres, cet étang dans le coin, là-bas, qui a embelli cette année, les étoiles, la nouvelle lune, Vénus la solitaire, l'étoile du soir isolée, la splendeur du coucher de soleil ? Comment regardez-vous toute cette beauté, si vous l'avez déjà observée ? Vous ne pouvez pas regarder, observer, si vous êtes occupé par vous-même, par vos problèmes, par vos idées, par vos propres pensées compliquées. Vous ne pouvez pas observer, si vous avez un préjugé, si vous êtes attaché à une certaine conclusion, ou si vous vous cramponnez à une expérience personnelle – c'est impossible. Donc, comment observez-vous un arbre, cette chose merveilleuse que l'on appelle un arbre, sa beauté, comment le regardez-vous ? Comment le regardez-vous, maintenant, alors que vous êtes assis là, entouré de ces arbres ? Les avez-vous déjà observés ? Avez-vous vu leurs feuilles, frémissant dans le vent, la beauté de la lumière sur la feuille; les avez-vous regardés ? Pouvez-vous regarder un arbre ou la nouvelle lune, ou une étoile solitaire dans le ciel, sans le mot, lune, étoile, ciel – sans un mot ? Parce que le mot n'est pas la véritable étoile, la véritable lune. Donc, pouvez-vous laisser le mot de côté et regarder – c'est-à-dire regarder à l'extérieur ?

Maintenant, pouvez-vous regarder votre femme, votre mari, sans le mot, sans le souvenir de votre relation, si intime soit-elle, sans toute cette accumulation de souvenirs du passé, datant de dix jours ou de cinquante ans ? L'avez-vous déjà fait ? Non, bien sûr. Donc, si vous le voulez bien, apprenons ensemble comment observer une fleur. Si vous savez comment regarder une fleur, ce regard contient l'éternité. Ne vous laissez pas entraîner par mes mots. Si vous savez regarder une étoile, une forêt dense, alors vous voyez que dans cette observation, il y a l'espace, l'éternité intemporelle. Mais pour observer votre femme, ou votre mari, sans l'image que vous avez créée d'elle ou de lui, vous devez commencer très près, vous devez commencer très près pour aller très loin. Si vous ne commencez pas très près, vous n'irez jamais très loin. Si vous voulez escalader la montagne ou aller au village voisin, le premier pas est important, votre façon de marcher, avec quelle élégance, avec quelle aisance, avec quel bonheur. Donc, nous disons que pour aller très loin, l'éternité en l'occurrence, vous devez commencer très près, c'est-à-dire par la relation que vous avez avec votre femme ou votre mari. Pouvez-vous regarder, observer, avec un regard lucide, sans les mots, « ma femme » ou « mon mari », « mon neveu » ou « mon fils », sans le souvenir de toutes les blessures accumulées, sans le souvenir des choses passées ? Faites-le, maintenant, pendant que vous êtes assis là ; observez. Et lorsque vous pouvez observer sans le passé, c'est-à-dire observer sans toutes les images que vous vous faites de vous et d'elle, alors il y a une relation correcte entre vous et elle. Mais actuellement, étant donné que vous ne vous observez pas, vous êtes comme deux rails de chemins de fer, vous ne vous rencontrez jamais. Telle est votre relation. Je me demande si vous en êtes conscient ?

Nous apprenons ensemble à observer cet arbre, à nous asseoir à côté de notre voisin en observant la couleur de sa chemise, la couleur de son sari, son type de visage ; en observant sans critique, sans préférence ou aversion, en observant tout simplement. Maintenant, avec cette observation là, pouvez-vous regarder votre violence, c'est-à-dire, votre colère, votre irritation, votre conformisme, votre résignation, votre accoutumance à la saleté et à la misère noire qui entoure votre maison, pouvez-vous observer tout cela? Quand vous le faites, vous mettez toute votre énergie à observer et quand vous observez ainsi votre violence, vous découvrez, si vous l'examinez complètement, si vous le faites que cette violence – puisque vous avez mis toute votre énergie pour observer – disparaît totalement. Ne répétez pas – si je puis vous le demander très respectueusement – ne répétez pas ce que vous venez d'entendre. En répétant ce qu'a dit l'orateur, cela devient de seconde main. Tout comme en répétant les Upanishads, les Bramhasoutras et tous les livres imprimés, vous vous transformez en êtres humains de seconde main. Cela ne semble pas vous inquiéter, n'est-ce pas? Vous n'en avez même pas honte, vous l'acceptez, tout simplement Cette acceptation fait partie de ce problème complexe de la violence.

Donc, nous disons que lorsqu'il n'y a pas de dualité, on peut vivre sans conflit. Il n'y a pas de véritable dualité quand vous atteignez un certain état de conscience – il n'y a que « ce qui est ». La dualité n'existe que lorsque vous essayez de nier ou d'échapper à « ce qui est » pour le transformer en « ce qui n'est pas ». Est-ce clair? Sommes-nous ensemble dans tout ceci? Des gens m'ont beaucoup parlé de tous ces sujets, vos philosophes, vos experts en Védanta et vos érudits. Mais, comme les gens ordinaires, ils vivent dans la dualité. (Pas la dualité physique, homme et femme, grand et petit, peau claire et peau foncée, ce n'est pas la dualité.) Et puis, il y a l'idée selon laquelle le conflit est nécessaire car nous vivons dans la dualité et que par conséquent, ceux qui sont libérés des contraires, ce sont les illuminés. Vous inventez une philosophie autour de cela. Vous le lisez et vous l'acceptez; vous lisez tous les commentaires et vous restez coincés là où vous êtes. Tandis qu'au contraire, l'orateur dit qu'il n'y a pas réellement de dualité; on ne se libère pas de la dualité en atteignant des « sommets spirituels »; vous n'atteindrez jamais des « sommets spirituels » si vous vivez dans la dualité, ni maintenant, ni dans une future réincarnation ou à la fin de votre vie. L'orateur dit qu'il n'y a que « ce qui est » et rien d'autre. « Ce qui est » est le seul fait. Son opposé est le non-fait et n'a pas de réalité. J'espère que c'est très clair, au moins logiquement, avec la raison. Si vous exercez votre raison, votre capacité de penser logiquement, « ce qui est » est bien évidemment plus important à comprendre que « ce qui devrait être ». Et nous nous accrochons à « ce qui devrait être » car nous ne savons pas comment nous occuper de « ce qui est ». Nous utilisons le contraire comme levier pour nous libérer de « ce qui est ».

Donc, il n'y a que « ce qui est » et par conséquent, il n'y a pas de dualité. Il n'y a que l'envie et il n'y a pas la non-envie. Quand vous comprenez la profondeur de la violence sans lui échapper, sans fuir dans un idéal stupide de non-violence, quand vous la regardez, quand vous l'observez de très près, c'est-à-dire que vous lui consacrez toute l'énergie que vous gaspilliez en poursuivant son contraire – quand vous essayez de la supprimer, c'est une perte d'énergie, c'est le conflit – il n'y a pas de conflit. Je vous en prie, comprenez-le.

Supposons que l'on soit envieux, envieux de quelqu'un qui est très astucieux, brillant, intelligent, sensible, qui voit la beauté de la terre et la splendeur du ciel, qui aime cette terre très belle, alors que pour soi cela ne signifie rien. On veut être comme lui. On commence donc à l'imiter, à imiter sa façon de marcher, sa façon de regarder, sa façon de sourire; et pourtant on est toujours avide. Bien que l'on ait été éduqué depuis l'enfance à ne pas être envieux, on n'a pas compris que ce « ne pas être » n'est que le contraire de ce que l'on est. On a été éduqué, conditionné; les livres que l'on nous a donnés, nous ont dit que la dualité existe et nous l'avons accepté. C'est très difficile de briser ce conditionnement. Notre conditionnement, depuis l'enfance, nous empêche de comprendre ce fait très simple : il n'y a que « ce qui est ». Le bon n'est pas contraire du mauvais. Si le bon est tiré du mauvais alors il contient le mauvais. Réfléchissez-y sérieusement, travaillez-y, exercez-y votre esprit, de façon à vivre toujours avec « ce qui est », avec ce qui se passe réellement, à l'intérieur et à l'extérieur. Quand vous êtes envieux, vivez avec ce fait, observez-le. D'ailleurs, l'envie est un processus très complexe, elle fait partie de la compétition, du désir de progrès, politiquement, religieusement et en affaires. Nous avons été élevés avec cela, et pour rompre cette tradition, cela demande beaucoup d'observation; cela ne consiste pas à prendre l'opposé de la tradition; observez seulement ce qu'est la tradition. J'espère que l'orateur est très clair. Vous êtes tous des gens traditionalistes et vous répétez psychologiquement, même intellectuellement, ce que l'on vous a appris; votre religion est fondée là-dessus.

Donc, une fois que vous avez vu ce fait qu'il n'y a que « ce qui est » et que vous observez avec toute l'énergie que vous avez, alors vous verrez que « ce qui est » n'a aucune valeur, aucune importance, c'est absolument inexistant.

Depuis l'enfance, on nous dit d'être bon. Le mot « bon » est un mot désuet, mais c'est vraiment un mot de toute beauté. Bon signifie être correct, correct dans vos paroles, correct dans votre comportement – mais pas selon une idée de ce qui est correct. Correct signifie être précis, exact, sans prétention. Mais on n'est pas bon. Et nos parents, nos professeurs et nos éducateurs disent : « Sois bon », ainsi se crée un conflit entre ce que l'on est et ce que l'on devrait être. Et on ne comprend pas le sens de ce mot; ce mot est d'ailleurs très, très subtil, il demande beaucoup d'investigation. Bon signifie aussi être complètement honnête, ce qui signifie que l'on ne se conduit pas selon une tradition ou une mode, mais avec un grand sens de l'intégrité, qui a sa propre intelligence. Être bon signifie aussi être entier, non fragmenté. Mais nous sommes fragmentés, élevés dans cette tradition chaotique. L'important, ce n'est pas ce qu'est la bonté, mais pourquoi notre cerveau est prisonnier de la tradition. Donc, on doit comprendre pourquoi le cerveau, qui, répétons-le, est très subtil, qui est très profond, pourquoi ce cerveau a suivi la tradition. Il l'a suivi car il y trouve la sécurité, car on suit ce que nos parents ont dit et ainsi de suite. Cela nous donne un sentiment de sécurité, de protection – une sécurité et une protection fausses. On pense être en sécurité mais c'est irréel, c'est illusoire. On n'écoutera pas l'orateur car on a trop peur d'être sans tradition et de vivre en étant totalement attentif.

Votre croyance en Dieu est votre sécurité ultime. Regardez ce que la pensée a fait? Elle a créé une image de Dieu qu'ensuite vous adorez. C'est de l'auto-adoration. Alors vous commencez à demander qui a créé la terre, qui a créé les cieux, l'univers etc. Ainsi, votre tradition commence à détruire le cerveau humain. Il est devenu répétitif, mécanique, il n'a aucune vitalité, si ce n'est pour gagner de l'argent, aller au bureau chaque matin pour le reste de votre vie et à la fin de tout cela mourir. Donc, il est important de découvrir si vous pouvez être libre de la tradition et ainsi vivre sans aucun conflit, vivre quotidiennement avec « ce qui est » et observer « ce qui est », non seulement à l'extérieur, mais aussi à l'intérieur. Alors vous créerez une société qui sera sans conflit.

le 27 décembre 1981

CHAPITRE V

BOMBAY

L'homme moyen gâche sa vie; il a beaucoup d'énergie, mais il la gaspille. Il passe sa vie au bureau ou à bêcher son jardin ou comme avocat ou autrement, ou bien il mène une vie de sannyasin. La vie de l'homme ordinaire paraît, finalement, tout à fait dénuée de sens, sans signification. Quand il regarde en arrière, à cinquante, quatre-vingts ou quatre-vingt-dix ans, qu'a-t-il fait de sa vie?

La vie a une signification tout à fait extraordinaire, avec sa grande beauté, avec ses souffrances et ses angoisses profondes, le travail de huit ou neuf heures du matin jusqu'à dix-sept heures pendant des années et des années, pour amasser de l'argent. A la fin de tout cela, qu'avons-nous fait de notre vie? L'argent, le sexe, le conflit incessant de l'existence, la lassitude, le tourment, le malheur et les frustrations – c'est tout ce que nous possédons – avec peut-être quelques rares joies; ou bien, vous aimez peut-être quelqu'un complètement, totalement, sans le sens du moi.

Il semble y avoir bien peu de justice dans le monde. Les philosophes ont beaucoup parlé de justice. Les travailleurs sociaux parlent de justice. L'homme moyen veut la justice. Mais y a-t-il vraiment une justice dans la vie? L'un est intelligent, bien placé, avec un esprit brillant et beau; il a tout ce qu'il veut. L'autre n'a rien. L'un a une bonne éducation, il est raffiné et libre de faire tout ce qu'il veut. L'autre est infirme, pauvre d'esprit et de cœur. L'un est capable d'écrire et de parler; un être humain normal, l'autre non. C'est le problème de la philosophie avec son amour de la vérité et son amour de la vie. Mais la vérité est peut-être dans la vie, non dans les livres éloignés de la vie, ni dans les idées. La vérité est peut-être où nous sommes et dans notre façon de vivre. Quand on regarde autour de soi, la vie semble si vide et si dépourvue de sens pour beaucoup de gens. L'homme connaîtra-t-il jamais la justice? La justice existe-t-elle dans le monde? L'un est blond, l'autre est brun. L'un est sensible, brillant, conscient, plein de sensibilité, aimant un coucher de soleil, la splendeur de la lune, la lumière extraordinaire se reflétant sur l'eau; l'un le voit, l'autre pas. L'un est raisonnable, sain, en bonne santé et l'autre non. Donc, on se demande, sérieusement, si la justice existe dans le monde?

Nous sommes censés être tous égaux devant la loi, mais certains sont « plus égaux » que d'autres qui n'ont pas les moyens de s'assurer les services d'un bon avocat. Certains sont bien nés, d'autres non. Quand on observe cela dans le monde, il y a apparemment très peu de justice. Alors, où est donc la justice ? Il semble qu'il ne peut y avoir de justice que lorsqu'il y a compassion. La compassion, c'est la fin de la souffrance. La compassion n'est pas le résultat d'une religion ou de l'appartenance à un culte. Vous ne pouvez pas être un Hindou avec toutes vos superstitions et les dieux que vous avez inventés, et malgré tout devenir compatissant – vous ne le pouvez pas. Pour qu'il y ait compassion, il doit y avoir liberté, la liberté totale et complète de tout conditionnement. Une telle liberté est-elle possible ? Le cerveau humain est conditionné depuis des millions d'années. C'est un fait. Et il semble que plus vous acquérez du savoir sur ce qui concerne la terre et le ciel, plus vous vous enlisez. Quand il y a compassion, alors il y a intelligence et cette intelligence a la vision de la justice.

Nous avons inventé les idées de karma et de réincarnation ; et nous pensons qu'en inventant ces idées, ces systèmes concernant quelque chose qui arrivera dans le futur, nous avons résolu la question de la justice. La justice ne commence que lorsque l'esprit est très lucide et qu'il y a compassion.

Nos cerveaux sont des instruments très complexes. Votre cerveau ou celui de l'orateur est le cerveau de l'humanité. Il ne s'est pas seulement développé depuis votre naissance jusqu'à maintenant. Il a évolué durant un temps infini et il a conditionné notre conscience. Cette conscience n'est pas personnelle ; c'est le fond commun de tous les êtres humains. Quand vous observez cette conscience avec tout son contenu de croyances, dogmes, concepts, peurs, plaisirs, détresses, solitude, découragement et désespoir, ce n'est pas votre conscience individuelle. Ce n'est pas l'individu qui détient cette conscience. Nous sommes profondément conditionnés à penser que nous sommes des individus séparés ; mais ce n'est pas votre cerveau ou le mien. Nous ne sommes pas séparés. Nos cerveaux sont tellement conditionnés par l'éducation, par la religion que nous pensons être des individus séparés avec des âmes séparées etc. Nous ne sommes pas du tout des individus. Nous sommes le résultat de milliers d'années d'expériences humaines, d'efforts et de luttes. Donc, nous sommes conditionnés ; par conséquent nous ne sommes jamais libres. Aussi longtemps que nous vivons avec ou par un concept, une conclusion, avec certaines idées ou certains idéaux, nos cerveaux ne sont pas libres et ainsi il n'y a pas de compassion. Quand on est libre de tout conditionnement – c'est-à-dire, que l'on n'est plus ni hindou, chrétien, musulman ou bouddhiste, que l'on n'est plus prisonnier d'une spécialisation (bien que la spécialisation ait sa place), que l'on ne consacre plus entièrement sa vie à l'argent – alors il peut y avoir compassion. Tant que le cerveau est conditionné, tel qu'il l'est actuellement, il n'y a aucune liberté pour l'homme. Il n'y a pas « d'ascension » pour l'homme, comme certains philosophes ou certains biologistes le disent, en utilisant le savoir. Le savoir est nécessaire; pour conduire une voiture, pour faire des affaires, pour aller d'ici à chez vous, pour produire un développement technologique etc., il est nécessaire; mais pas le savoir psychologique que l'on a recueilli sur soi-même, qui finit en mémoire – mémoire qui est le résultat de pressions extérieures et de demandes intérieures.

Nos vies sont morcelées, fragmentées, divisées, elles ne sont jamais entières; nous n'avons jamais une observation holistique. Nous observons d'un certain point de vue. A l'intérieur, nous sommes morcelés, de telle sorte que notre vie est faite de contradictions, alors il y a un conflit constant. Nous ne considérons jamais la vie comme un tout, complet et indivisible. Le mot « complet » signifie sain de corps et d'esprit. Cela signifie aussi saint. Ce mot a une grande signification. Cela ne signifie pas que les différents fragments s'intègrent dans notre conscience humaine. (Nous essayons toujours d'intégrer les différentes contradictions.) Mais est-ce possible de considérer la vie comme un tout, la souffrance, le plaisir, la douleur, l'énorme angoisse, la solitude, le fait d'aller au bureau, d'avoir une maison, des enfants, d'avoir des rapports sexuels, comme si ce n'était pas des activités séparées, mais un mouvement holistique, une action unitaire? Est-ce possible? Ou sommes-nous condamnés à vivre éternellement dans la fragmentation et donc à vivre pour toujours dans le conflit? Est-ce possible d'observer la fragmentation et l'identification avec ces fragments? Observer, pas corriger, pas transcender, ni fuir ou supprimer, mais observer. Il ne s'agit pas de ce qu'il faut en faire; car si vous essayez de modifier quelque chose, vous agissez à partir d'un fragment et ainsi vous cultivez d'autres fragments et d'autres divisions. Tandis qu'au contraire si vous observez holistiquement, si vous observez l'ensemble du mouvement de la vie comme un tout, alors le conflit avec son énergie destructive, non seulement cesse mais de plus, une approche totalement neuve de la vie naîtra de cette observation.

Je me demande si on est conscient de la façon dont notre vie quotidienne est morcelée? Et si l'on en est conscient, est-ce qu'on se demande alors : comment vais-je rassembler tout cela pour en faire un tout? Et quelle est cette entité, le « Je », qui veut rassembler toutes ces différentes parties et les intégrer ? Cette entité n'est-elle pas aussi un fragment ? La pensée elle-même est fragmentaire, car le savoir n'est jamais complet sur rien. Le savoir est une accumulation de mémoire et la pensée est la réaction de cette mémoire, par conséquent, il est limité. La pensée ne peut jamais provoquer une observation holistique de la vie.

Donc, peut-on observer tous ces fragments qui forment notre vie quotidienne et les regarder comme un tout ? On est enseignant, ou simplement un chef de famille ou un sannyâsin qui a renoncé au monde; ce sont des façons fragmentaires de vivre une vie quotidienne. Peut-on observer le mouvement global de notre vie fragmentée avec ses motifs séparés et séparateurs; peut-on les observer sans l'observateur ? L'observateur est le passé, l'accumulation des souvenirs. Il est ce passé et c'est le temps. Le passé regarde cette fragmentation et le passé en tant que mémoire, est aussi lui-même, le résultat de fragmentations antérieures. Donc, peut-on observer sans le temps, sans la pensée, le souvenir du passé et sans le mot ? Car le mot est le passé et le mot n'est pas la chose. On regarde toujours à l'aide des mots; avec des explications, qui sont le mouvement des mots. Nous n'avons jamais une perception directe. La perception directe c'est l'insight qui transforme les cellules du cerveau. Notre cerveau a été conditionné par le temps et il fonctionne en pensant. Il est prisonnier de ce cycle. Quand il y a une pure observation d'un problème, il y a une transformation, une mutation, dans la structure même des cellules.

Nous avons créé le temps, le temps psychologique. Nous sommes maîtres de ce temps intérieur que la pensée a fabriqué. C'est pourquoi nous devons comprendre la nature du temps que l'homme a créé – le temps psychologique sous forme d'espoir ou de réussite. Pourquoi les êtres humains, ont-ils psychologiquement, intérieurement, créé le temps – le temps où on sera bon; le temps où on sera libre de la violence; le temps pour atteindre l'illumination; le temps pour atteindre un état d'esprit exalté; le temps sous forme de méditation? Quand on fonctionne dans le domaine du temps, on provoque une contradiction et de là le conflit. Le temps psychologique c'est le conflit.

C'est vraiment une grande découverte si l'on réalise la vérité que l'on est le passé, le présent et le futur; c'est-à-dire le temps sous forme de savoir psychologique. On crée dans notre conscience, une division entre notre vie et le temps lointain qu'est la mort. C'est-à-dire, on vit avec tous nos problèmes et la mort est quelque chose à éviter, à ajourner, à tenir à distance – ce qui est une autre fragmentation dans notre vie. Observer holistiquement le mouvement global de la vie, c'est vivre à la fois la vie et la mort. Mais on s'accroche à la vie et on évite la mort; on n'en parle même pas. Ainsi, non seulement on a fragmenté notre vie, superficiellement, physiquement, mais en plus, on s'est séparé de la mort. Qu'est-ce que la mort? N'est-ce pas une partie de notre vie? On peut en avoir peur, on peut vouloir éviter la mort et prolonger la vie, mais elle se termine toujours par la mort.

Qu'est-ce que vivre? Qu'est-ce que vivre, c'est-à-dire notre conscience? La conscience est faite de son contenu et le contenu n'est pas différent de la conscience. La conscience est ce que nous croyons, nos superstitions, nos ambitions, notre avidité, notre esprit de compétition, notre attachement, notre souffrance, la profondeur de la solitude, les dieux, les rituels – tout cela c'est notre conscience, c'est-à-dire nous-même. Mais cette conscience ne nous appartient pas en propre, c'est la conscience de l'humanité. Nous sommes le monde et le monde est nous. Nous sommes notre conscience avec son contenu. Ce contenu est le fond commun de toute l'humanité. Par conséquent, psychologiquement, intérieurement, nous ne sommes pas un individu. On peut avoir extérieurement une forme différente d'un autre, jaune, noir, brun de peau, petit ou grand, femme ou homme, mais intérieurement, en profondeur, nous sommes similaires – avec peut-être quelques variations, mais la similitude est comme un fil qui réunit les perles. Nous devons comprendre ce qu'est la vie, alors nous pourrons comprendre ce qu'est la mort. Ce qui précède la mort est plus important que ce qui la suit. Avant la fin, bien avant la dernière minute, qu'est-ce que vivre ? Est-ce ce tourment, ce conflit sans relation avec l'autre, est-ce cela vivre ? Ce sentiment de profonde solitude intérieure, c'est cela que l'on appelle vivre. Pour fuir cette soi-disant vie, vous allez à l'église, au temple, vous allez prier et adorer, ce qui n'a absolument aucun sens. Si vous avez de l'argent, vous vous livrez à des extravagances – dépenses excessives pour le mariage dans ce pays. Vous connaissez bien toutes les ruses que vous utilisez pour fuir votre propre conscience, votre propre état d'esprit. C'est cela que l'on appelle vivre. Et la mort est la fin. La fin de tout ce que vous connaissez. La fin de tout attachement, de tout l'argent que vous avez accumulé et que vous ne pouvez pas emporter avec vous ; alors vous avez peur. La peur fait partie de votre vie. Et ainsi, qui que vous soyez, que vous soyiez riche ou pauvre, que vous ayez une position importante, quel que soit votre pouvoir, que vous soyez un homme politique, du plus grand jusqu'au plus bas filou en politique, il y a une fin, que l'on appelle la mort. Et qu'est-ce que mourir ? Le « moi » avec toutes les accumulations qu'il a rassemblées pendant toute sa vie, toute la douleur, la solitude, le désespoir, les larmes, les rires, la souffrance

– c'est le « moi » avec tous ses mots. La récapitulation de tout cela c'est « moi ». J'ai beau prétendre qu'en « moi », il a un esprit supérieur, l'atman, l'âme, quelque chose d'éternel, mais tout cela est fabriqué par la pensée et la pensée n'est pas sacrée. Telle est donc notre vie, le « moi » auquel vous vous cramponnez, auquel vous êtes attaché et la conclusion de tout cela, c'est la mort. C'est la peur du connu et la peur de l'inconnu; le connu c'est notre vie et nous avons peur de cette vie et l'inconnu c'est la mort dont nous avons peur aussi. Avez-vous déjà vu un homme ou une femme effrayé par la mort? L'avez-vous déjà vu de près? La mort c'est la négation totale du passé, du présent et du futur, de tout ce qui est « moi ». Et à cause de cette peur de la mort, vous pensez qu'il y a d'autres vies à vivre. Vous croyez à la réincarnation – pour la plupart d'entre vous. C'est une projection agréable et heureuse qui réconforte, et qui a été inventée par des gens qui n'ont pas compris ce qu'est la vie. Ils voient que la vie c'est la douleur, le conflit constant, la détresse sans fin avec de temps en temps l'éclat du sourire, du rire et de la joie et ils disent : « Nous allons revivre une autre vie; après la mort, je retrouverai ma femme – ou mon mari, mon fils, mon dieu. » Pourtant, nous n'avons pas compris qui nous sommes et à quoi nous sommes attachés. A quoi sommes-nous attachés? A l'argent? Si vous êtes attaché à l'argent, c'est vous, l'argent c'est vous. Comme un homme attaché à un vieux meuble, un beau vieux meuble du XIVe siècle, bien brillant et de grande valeur, il est attaché à ce meuble; par conséquent il est le meuble. Donc, à quoi êtes-vous attaché? Votre corps? Si vous étiez vraiment attaché à votre corps, vous en prendriez soin, en mangeant correctement, en lui faisant faire correctement de l'exercice, mais vous ne le faites pas. Vous êtes juste attaché à l'idée du corps – à l'idée, mais pas au véritable instrument. Si vous êtes attaché à votre femme, c'est à cause de vos souvenirs. Si vous lui êtes attaché, elle vous rassure sur ceci ou cela, avec toutes les banalités de l'attachement et la mort survient et vous sépare.

Donc on doit examiner de très près et très profondément nos attachements. La mort ne nous permet pas d'avoir quoi que ce soit quand on meurt. Notre corps est incinéré ou enterré, et qu'a-t-on laissé? Notre fils pour lequel nous avons amassé beaucoup d'argent que, de toute façon, il utilisera mal. Il héritera de nos biens, paiera les droits et traversera toutes les terribles angoisses de l'existence, tout comme on l'a fait soi-même. Est-ce ce à quoi on est attaché? Ou est-on attaché à notre savoir, ayant été un grand auteur, un grand poète ou un grand peintre? Ou est-on attaché aux mots, car les mots jouent un rôle très important dans notre vie? Aux mots seuls. On ne regarde jamais derrière les mots. On ne voit jamais que le mot n'est pas la chose, que le symbole n'est jamais la réalité.

Le cerveau et la conscience humaine peuvent-ils être libres de cette peur de la mort? Comme nous sommes maîtres du temps psychologique, peut-on vivre avec la mort – sans se séparer de la mort comme si c'était une chose à éviter, à ajourner, quelque chose à mettre de côté? La mort fait partie de la vie. Peut-on vivre avec la mort et comprendre le sens de la fin? C'est-à-dire comprendre le sens de la négation; rompre avec ses attachements, abandonner ses croyances, en les rejetant. Quand on rejette, termine, il y a une chose totalement neuve. Donc, pendant notre vie, peut-on complètement supprimer l'attachement? C'est cela vivre avec la mort. La mort signifie la fin. De cette façon, il y a incarnation, il y a quelque chose de neuf qui se passe. Savoir finir est extrêmement important dans la vie – pour comprendre la profondeur et la beauté du rejet de ce qui n'est pas la vérité. Supprimer par exemple son double langage. Si on va au temple, rejeter le temple, de façon que votre esprit ait cette qualité d'intégrité.

La mort est une fin et elle a une importance extraordinaire dans la vie. Pas le suicide, pas l'euthanasie, mais la fin de nos attachements, de notre orgueil, de notre antagonisme ou de notre haine pour autrui. Quand on regarde holistiquement la vie, alors la mort, la vie, la détresse, le désespoir, la solitude et la souffrance, tout cela est qu'un seul et même mouvement. Quand on voit holistiquement, il y a une liberté totale vis-à-vis de la mort – ce qui ne veut pas dire que le corps ne va pas être détruit. Il y a un sens de la fin et par conséquent il n'y a pas de continuité – il y a une liberté à l'égard de la peur de ne pas pouvoir continuer.

Quand un être humain comprend la pleine signification de la mort, il y a la vitalité, la plénitude, qui se trouve derrière cette compréhension; il est en dehors de la conscience humaine. Quand vous comprenez que la vie et la mort ne font qu'un – ils ne font qu'un quand dans votre vie, vous commencez à mettre fin aux choses – alors vous vivez côte à côte avec la mort, ce qui est la chose la plus extraordinaire à faire; il n'y a ni le passé, ni le présent, ni le futur, il n'y a que la fin.

le 6 février 1982

CHAPITRE VI

NEW YORK

Il faut bien comprendre que nous n'essayons pas de vous convaincre de quoi que ce soit. Nous ne faisons aucune propagande; nous n'exprimons pas non plus de nouvelles idées, une théorie exotique ou une philosophie fantastique; nous ne présentons pas non plus une sorte de conclusion et nous ne vous recommandons pas davantage une certaine foi. Je vous en prie, soyez-en bien convaincu. Mais ensemble, vous et l'orateur, allez observer ce qui arrive dans le monde, pas d'un point de vue particulier, ni en fonction d'une attitude linguistique, nationaliste, ou religieuse. Nous allons ensemble, si vous le voulez bien, observer, sans préjugé, librement, sans distortion, ce qui arrive réellement à travers le monde. Il est important de comprendre que nous ne faisons qu'observer, sans prendre parti, sans avoir de conclusions en fonction desquelles on observe, mais nous examinons librement, rationnellement, sainement, pourquoi les êtres humains dans le monde entier, sont devenus ce qu'ils sont : brutaux, violents, pleins d'idées fantastiques, avec leur culte du nationalisme ou du tribalisme, avec toutes les divisions de la foi, avec tous leurs prophètes, gourous et toutes ces structures religieuses qui ont perdu toute signification.

Une telle observation n'est pas un défi, elle ne vous apportera pas non plus une expérience. L'observation n'est pas l'analyse. L'observation sans distortion, c'est voir clairement, sans que ce soit à partir d'un point de vue personnel ou idéologique; c'est observer de façon à voir les choses telles qu'elles sont, à la fois à l'extérieur et à l'intérieur, ce qui se passe extérieurement et comment nous vivons psychologiquement. Nous parlons ensemble comme deux amis se promenant dans un petit chemin tranquille, par un jour d'été, observant et discutant de leurs problèmes, leur douleur, leurs souffrances, leur tristesse, leurs désordres, leurs incertitudes, leur manque de sécurité, et voyant clairement pourquoi les êtres humains dans le monde entier se comportent comme ils le font; nous demandons pourquoi, après des millénaires et des millénaires, les êtres humains continuent à souffrir, à avoir de grandes douleurs psychologiques, à être anxieux, hésitants et effrayés, sans aucune sécurité intérieure ou extérieure.

Il n'y a aucune division entre l'extérieur et

l'intérieur, entre le monde que les êtres humains ont créé extérieurement et le mouvement qui a lieu à l'intérieur – c'est comme une marée, qui va et qui vient, c'est le même mouvement. Il n'y a aucune division, telle que l'extérieur et l'intérieur, c'est un mouvement continu. Pour comprendre ce mouvement nous devons examiner ensemble notre conscience, ce que nous sommes, pourquoi nous nous comportons comme nous le faisons, en étant cruels et en n'ayant pas de véritables relations avec les autres. Nous devons examiner pourquoi, après des millénaires et des millénaires, nous vivons dans un conflit et une misère perpétuels et pourquoi les religions ont complètement perdu leur signification.

Nous allons prendre notre existence humaine telle qu'elle est, l'observer et vraiment découvrir nous-même, s'il existe une possibilité de changement radical de la condition humaine – pas un changement superficiel, ni une révolution matérielle, aucune d'entre elles n'a apporté de changement radical, fondamental dans le psychisme. Et nous allons découvrir s'il est possible que le conflit, la lutte, la douleur et la souffrance de notre vie quotidienne cessent. Nous allons observer ensemble et voir s'il est possible d'être complètement libre de toute cette torture qu'est la vie, avec de temps en temps ses joies.

Ce n'est pas un sermon; vous partagez, vous

participez à cette observation. Nous n'utilisons pas un jargon spécial ou des références linguistiques particulières. Nous utilisons un langage simple, de tous les jours. La communication n'est possible que lorsque nous sommes ensemble – on doit insister sur le mot « ensemble » – lors de cet examen de nos vies et de la raison pour laquelle nous sommes ce que nous sommes devenus.

Quelle est la place du savoir dans la transformation de l'homme ? A-t-il une place dans toute cette transformation ? Le savoir est nécessaire dans notre vie de tous les jours, où l'on va au bureau, où l'on exerce ses différentes compétences et ainsi de suite : il est nécessaire dans le monde technologique, dans le monde scientifique. Mais dans la transformation du psychisme, dont nous faisons partie, le savoir a-t-il sa place ?

Le savoir est l'accumulation de l'expérience – pas seulement de l'expérience personnelle, mais aussi de l'expérience passée que l'on nomme tradition. Cette tradition est transmise à chacun de nous. Nous avons accumulé non seulement le savoir psychologique individuel et personnel, mais aussi le savoir psychologique qui nous a été transmis et qui a conditionné l'homme pendant des millénaires. Nous nous demandons si ce savoir psychologique pourra jamais transformer l'homme radicalement, de façon à ce qu'il soit un être humain totalement non-conditionné. Parce que s'il y a la moindre forme de conditionnement, psychiquement, intérieurement, on ne peut pas trouver la vérité. La vérité est une contrée sans chemin et elle doit venir vers nous quand nous sommes totalement libres du conditionnement.

Il y a ceux qui acceptent et qui disent que le conditionnement de l'homme est inévitable et qu'il ne peut lui échapper. Il est conditionné et il ne peut pas faire mieux que d'améliorer ou de modifier ce conditionnement. Il y a dans la pensée occidentale, un élément très fort qui sous-tend cette position. L'homme est conditionné par le temps, par l'évolution génétique, par la société, par l'éducation et par la religion. Ce conditionnement peut être modifié, mais l'homme ne peut jamais s'en libérer. C'est ce que les communistes et d'autres prétendent, faisant remarquer que si l'on regarde l'histoire et les faits, nous sommes tous conditionnés par le passé, par notre éducation, par notre famille et ainsi de suite. Ils disent que l'on ne peut pas échapper à ce conditionnement et que par conséquent l'homme est condamné à toujours souffrir, à toujours vivre dans l'incertitude et à toujours suivre ce chemin de lutte, de douleur et d'angoisse.

Ce que nous disons est très différent; nous disons que ce conditionnement peut être complètement supprimé, de telle sorte que l'homme soit libre. Nous allons examiner ce qu'est le conditionnement et ce qu'est la liberté. Nous allons voir si ce conditionnement, qui est profondément enraciné dans les replis profonds de notre esprit et qui agit aussi superficiellement, s'il peut être compris, afin que l'homme soit totalement libre de toute douleur et de toute angoisse.

Donc, nous devons d'abord regarder notre conscience, de quoi elle est faite, quel est son contenu. Nous devons nous demander si le contenu de cette conscience, avec laquelle nous nous identifions en tant qu'individu, est en fait une conscience individuelle. Cette conscience individuelle, que chacun d'entre nous maintient soigneusement séparée des autres, est-elle vraiment individuelle ? Ou bien est-ce la conscience de l'humanité ? Je vous en prie, écoutez d'abord ceci. Vous pouvez ne pas être d'accord du tout. Ne le rejetez pas, observez seulement. Il ne s'agit pas d'être tolérant – la tolérance est l'ennemi de l'amour; observez simplement, sans opposition, ce que nous disons : la conscience avec laquelle nous nous sommes identifiés en tant qu'individus, est-elle vraiment individuelle ? Ou bien est-ce la conscience de l'humanité ? C'est-à-dire, la conscience avec tout son contenu de douleur, de souvenirs, de chagrin, d'attitudes nationalistes, de foi, d'adoration, est la même à travers le monde. Où que l'on aille, l'homme souffre, lutte, se bat, est anxieux, plein d'incertitude, d'angoisse, de désespoir, de découragement, croyant à toutes sortes d'absurdités religieuses et superstitieuses. C'est commun à tout le genre humain, que ce soit en Asie ou ici en Occident.

Donc, votre conscience, avec laquelle vous vous êtes identifiés, comme étant votre conscience « individuelle », est une illusion. C'est la conscience du reste de l'humanité. Vous êtes le monde et le monde est vous. Je vous en prie, considérez ceci, voyez-en le sérieux, la responsabilité que cela implique. Vous avez lutté toute votre vie, en tant qu'individu, une entité séparée du reste de l'humanité et quand vous découvrez que votre conscience est la conscience du reste de l'humanité, cela signifie que vous êtes l'humanité, vous n'êtes pas un individu. Vous pouvez avoir des compétences, des tendances, des réactions propres, mais, en réalité, vous êtes le reste du genre humain, car votre conscience est la conscience de chaque être humain. Cette conscience est le résultat de milliers et de milliers d'années. La pensée a toujours été très importante dans nos vies. La pensée a créé la technologie moderne, elle a créé les guerres, elle a divisé les gens en nationalités, elle a produit les religions séparées, la pensée a créé la merveilleuse architecture des anciennes cathédrales, temples et mosquées. Les rituels, les prières, tout le cirque – si je peux utiliser ce mot – qui continue au nom de la religion, est fabriqué par la pensée.

La conscience est l'activité de la pensée et la pensée a acquis une importance énorme dans nos vies. Nous devons observer ce qu'est la pensée, qui a provoqué une extraordinaire confusion dans le monde. La pensée joue un rôle dans nos relations, intimes ou non, avec les autres. La pensée est la source de la peur. Nous devons observer quelle est la place de la pensée dans le plaisir, quelle est sa place dans la souffrance et si elle a sa place dans l'amour. Il est important d'observer le mouvement de la pensée en soi.

Observer le mouvement de la pensée fait partie de la méditation. La méditation n'est pas une répétition absurde de mots à laquelle on consacre quelques minutes le matin, l'après-midi et le soir. La méditation fait partie de la vie. La méditation, c'est découvrir la relation de la pensée et du silence; la relation de la pensée et de ce qui est hors du temps. La méditation fait partie de notre vie quotidienne, tout comme la mort fait partie de notre vie et comme l'amour en fait aussi partie.

Il est assez facile, quand on vous pose une question qui vous est familière, de répondre immédiatement. On vous demande votre nom, vous y répondez instantanément, car vous l'avez répété si souvent qu'il vient aisément. Mais si l'on vous pose une question compliquée, il y a un intervalle entre la question et la réponse. Pendant cet intervalle, la pensée enquête – et finalement découvre une réponse. Mais quand on vous pose une question très profonde et que vous répondez : « Je ne sais pas », la pensée cesse. Très peu de gens disent vraiment : « Je ne sais pas », ils font semblant de penser qu'ils savent. Vraisemblablement, beaucoup d'entre vous croient en Dieu. C'est le dernier espoir, le dernier plaisir, l'ultime sécurité. Et quand vous vous posez réellement la question, sérieusement, avec une grande honnêteté : connaissez-vous vraiment Dieu, croyez-vous réellement ? Alors si vous êtes vraiment honnête, vous dites « En vérité, je ne sais pas ». Alors, votre esprit observe réellement.

L'accumulation de l'expérience emmagasinée dans le cerveau sous forme de mémoire, c'est le savoir et la réaction à cette mémoire, c'est la pensée. La pensée est un processus matériel – il n'y a rien de sacré dans tout ce qui touche à la pensée. L'image que nous adorons comme étant sacrée, fait toujours partie de la pensée. Sans cesse, la pensée divise, sépare, fragmente et le savoir n'est jamais complet, sur rien. La pensée, qu'elle soit sublime ou banale, est toujours fragmentaire, entraîne toujours la division, car elle provient de la mémoire. Toutes nos actions sont basées sur la pensée, par conséquent, toute action est limitée, fragmentaire, incomplète et sème la division – elle ne peut jamais être holistique. La pensée, que ce soit celle des plus grands génies, des plus grands peintres, musiciens, scientifiques ou celle qui prend la forme de nos petites pensées quotidiennes, est toujours limitée, fragmentaire et elle entraîne toujours la division. Chaque action qui provient de cette pensée, apporte inévitablement le conflit. Il y a les divisions nationalistes, tribales, auxquelles l'esprit s'accroche dans sa recherche de sécurité. C'est cette recherche même de sécurité qui provoque les guerres. La recherche de sécurité est aussi l'activité de la pensée; donc il n'y a pas de sécurité dans la pensée.

La substance même du contenu de notre conscience, c'est la pensée. La pensée a créé dans la conscience, une structure de peur, de croyance. L'idée d'un sauveur, de la foi, de l'angoisse, de la douleur – tout cela est fabriqué par la pensée et c'est le contenu de la conscience. Nous nous demandons si ce contenu de la conscience peut être effacé, afin qu'il y ait une dimension totalement différente. Ce n'est que dans cette dimension, qu'il peut y avoir créativité; la créativité n'est pas dans le contenu de la conscience.

Examinons maintenant, un des contenus de

notre conscience : la relation entre les êtres humains. Entre un homme et une femme, pourquoi y a-t-il un tel conflit dans cette relation, une telle détresse et une constante division ? Il est important d'approfondir cela, parce que l'homme existe en relation ; il n'existe pas un saint, un ermite ou un moine qui ne soit relié, même s'il se retire dans un monastère ou s'il va dans une caverne de l'Himalaya – il est toujours relié. Il est important de comprendre pourquoi les êtres humains ne vivent jamais en paix dans leurs relations, pourquoi il y a cette lutte et cette douleur, cette jalousie, cette angoisse terribles et de voir s'il est possible d'être débarrassé de tout cela et ainsi d'être réellement en relation. Pour découvrir ce qu'est la véritable relation, il faut beaucoup de recherche et d'observation. L'observation n'est pas l'analyse. Une fois encore, il est important de le comprendre, car la plupart d'entre nous sont habitués à l'analyse. Nous observons la véritable relation de l'homme avec l'homme et la femme, entre deux êtres humains, nous nous demandons pourquoi il y a une telle lutte, une telle angoisse, une telle douleur. Dans la relation entre deux êtres humains, qu'ils soient mariés ou non, est-ce qu'il leur arrive de se rencontrer, psychologiquement ? Ils peuvent se rencontrer physiquement, au lit, mais intérieurement, psychologiquement, ne sont-ils pas comme deux parallèles, chacune poursuivant sa propre vie, sa propre ambition, son accomplissement, sa propre expression? Donc, telles deux parallèles, ils ne se rencontrent jamais et par conséquent, il y a combat, lutte et douleur de ne pas avoir de véritable relation. Ils disent être en relation, mais ce n'est pas vrai, ce n'est pas honnête, car chacun a une image de lui-même. En plus de cette image, chacun a une image de la personne avec laquelle il vit. En réalité, nous avons deux images, ou de multiples images. Il a créé une image d'elle et elle en a créé une de lui. Ces images sont fabriquées par les réactions qui sont des souvenirs, qui deviennent l'image, l'image que vous avez d'elle ou qu'elle a de vous. La relation est entre les deux images qui sont le symbole des souvenirs, des douleurs. Ainsi, il n'y a pas de relation.

Donc, on se demande s'il est possible de n'avoir absolument aucune image de l'autre? Tant que vous avez une image d'elle et elle de vous, il y a forcément conflit car le fait de cultiver des images détruit la relation. A l'aide de l'observation, peut-on découvrir s'il est possible de ne pas avoir d'image de soi et des autres – n'avoir absolument aucune image? Tant que l'on a une image de soi, on est blessé. C'est une des souffrances de la vie, depuis l'enfance, en passant par l'école, le collège, l'université et tout au long de la vie, nous sommes constamment blessés, avec toutes les conséquences et le processus graduel d'isolement en vue de ne pas être blessé. Et qu'est-ce qui est blessé? C'est l'image que l'on a fabriquée de soi. Si l'on était totalement débarrassé de toutes les images, alors on ne serait plus blessé, ni flatté.

Mais, la plupart des gens trouvent la sécurité dans l'image qu'ils se sont fabriqué d'eux-mêmes, c'est-à-dire, l'image que la pensée a créée. Donc, nous nous demandons, en l'observant, si cette image construite depuis l'enfance, assemblée par la pensée, une structure de mots, une structure de réactions, un processus de souvenirs – des douleurs, des blessures, des idées, des incidents considérables, profonds et vivaces – si cette image peut prendre fin – car ce n'est qu'à cette condition que l'on peut avoir une relation avec un autre. Dans la relation, quand il n'y a pas d'image, il n'y a pas de conflit. Ce n'est pas une théorie, une idée; l'orateur dit que c'est un fait. Si on l'examine très profondément, on découvre que l'on peut vivre dans ce monde monstrueux sans avoir la moindre image de soi; alors notre relation a une signification totalement différente – il n'y a plus aucun conflit.

Maintenant, je vous en prie, pendant que vous écoutez l'orateur, êtes-vous conscient de votre propre image et de sa fin? Ou bien allez-vous demander : « Comment vais-je faire cesser cette image ? » Quand vous demandez « Comment », voyez ce que ce mot implique. Le « comment » signifie que quelqu'un va vous dire que faire. Ainsi, ce quelqu'un, qui va vous dire ce qu'il faut faire, devient le spécialiste, le gourou, le leader. Mais vous avez eu des leaders, des spécialistes, des psychologues, toute votre vie; et ils ne vous ont pas changé. Donc, ne demandez pas « comment », mais découvrez vous-même, si vous pouvez être débarrassé de cette image, totalement. Vous pouvez en être libre, si vous faites complètement attention à ce qu'un autre dit. Si votre femme ou votre ami vous dit quelque chose de déplaisant et si à ce moment, vous êtes complètement attentif, alors dans cette attention, il n'y a aucune création d'images. Alors, la vie a une signification totalement différente.

Nous observons notre conscience, avec son contenu. Son contenu, tel que la blessure, les relations, constitue notre conscience. La peur est aussi un autre contenu de notre conscience; nous vivons avec la peur, non seulement extérieurement mais aussi bien plus profondément, dans les recoins obscurs de notre esprit, il y a une peur profonde, une peur du futur, une peur du passé et une peur du vrai présent. Nous devrions parler ensemble de la possibilité pour les êtres humains, vivant dans ce monde tel qu'il est aujourd'hui – menacé par les guerres, vivant notre vie quotidienne – d'être totalement, complètement libre de toute peur psychologique. La plupart d'entre vous, ne se sont peut-être jamais posé cette question. Ou peut-être l'avez-vous fait et avez-vous essayé de trouver un moyen d'échapper à la peur, de la supprimer, de la rejeter, ou de la rationaliser. Mais si vous observez réellement profondément la nature de la peur, alors vous devez regarder ce qu'est la peur, vous devez vraiment voir quelles sont les causes qui contribuent à la peur. La plupart d'entre nous ont peur, peur du lendemain, peur de la mort, de votre mari ou de votre femme ou de votre petite amie; il y a tant de choses dont nous avons peur. La peur est semblable à un grand arbre aux branches innombrables; ce n'est pas bon de couper seulement les branches, vous devez aller à sa racine même et voir s'il est possible de l'extirper d'une façon si complète que vous vous en libériez. Il ne s'agit pas de savoir si nous resterons toujours libres de la peur; quand vous en avez vraiment supprimé les racines, alors la peur n'a plus la possibilité de rentrer dans votre vie psychologique.

La comparaison est une des causes de la peur, se comparer avec un autre. Ou se comparer à ce que l'on a été et à ce que l'on voudrait être. Le mouvement de comparaison c'est le conformisme, l'imitation, l'adaptation; c'est une des sources de la peur. A-t-on jamais essayé de ne jamais se comparer avec un autre que ce soit physiquement ou psychologiquement? Quand on ne se compare pas, alors on ne devient pas. Toute notre éducation nous pousse à devenir quelque chose, à être quelque chose. Si l'on est pauvre, on souhaite devenir riche – si l'on est riche, on souhaite plus de pouvoir. Religieusement ou socialement, on veut toujours devenir quelque chose. Dans cette volonté, dans ce désir de devenir, il y a la comparaison. Vivre sans comparaison, c'est la chose extraordinaire qui arrive quand on n'a pas de mesure. Tant que l'on mesure psychologiquement, la peur est inévitable parce que l'on lutte toujours et que la réussite n'est pas assurée.

Le désir est une autre raison de la peur. Nous devons observer la nature et la structure du désir et pourquoi le désir a pris une telle importance dans nos vies. Le désir va inévitablement de pair avec le conflit, la compétition et la lutte. Donc, il est important, si vous êtes sérieux – et ceux qui sont sérieux, vivent vraiment, pour eux la vie a une signification et une responsabilité énormes – de découvrir ce qu'est le désir. Dans le monde entier les religions ont dit : « Supprimez le désir! » Les moines – il n'est pas question des religieux qui ne sont pas sérieux, mais de ceux qui se sont engagés dans une organisation religieuse appartenant à leur propre foi – ont essayé de transférer ou de sublimer le désir au nom d'un symbole, d'un sauveur. Mais le désir est une force extraordinaire dans notre vie. On le supprime, on le fuit, on échange les activités du désir, ou on le rationalise, en voyant comment il apparaît et quelle est sa source. Donc, observons le mouvement du désir. Nous ne disons pas qu'il faut le supprimer, le fuir ou le sublimer – quel que soit le sens de ce mot.

La plupart d'entre nous sont des êtres humains extraordinaires. Nous voulons que tout soit expliqué, nous voulons que tout soit très soigneusement exposé sous forme de mots ou d'un schéma, et nous pensons que nous l'avons compris. Nous sommes devenus esclaves des explications. Nous n'essayons jamais de découvrir nous-même, quel est le mouvement du désir et comment il naît. L'orateur va explorer cette question, mais l'explication n'est pas la réalité. Le mot n'est pas la chose. On ne doit pas être prisonnier des mots, des explications. La montagne peinte sur une toile n'est pas la véritable montagne. Elle peut être très bien peinte, mais elle n'a pas son extraordinaire et profonde beauté, ni sa majesté se découpant sur le ciel bleu. De même, l'explication du désir n'est pas le véritable mouvement du désir. L'explication n'a aucune valeur tant que l'on ne voit pas réellement soi-même.

L'observation doit être libre, sans direction, sans motif, pour pouvoir comprendre le mouvement du désir. Le désir provient de la sensation. La sensation, c'est le contact, la vision. Alors, la pensée crée une image à partir de cette sensation; ce mouvement de la pensée est l'origine du désir. Par exemple, vous voyez une belle voiture et la pensée crée l'image de vous dans cette voiture, etc; le désir débute à ce moment. Si vous n'aviez pas de sensation, vous seriez paralysé. L'activité des sens est indispensable. Quand la sensation de la vision ou du toucher commence, alors la pensée fabrique l'image de vous dans cette voiture. Le désir naît au moment où la pensée crée l'image.

Il faut un esprit très attentif pour voir l'importance de toute la sensation – pas une certaine activité des sens, suivie par l'activité de la pensée créant une image. Avez-vous déjà observé un coucher de soleil et le mouvement de la mer, avec tous vos sens? Quand vous observez avec tous vos sens, il n'y a pas de centre à partir duquel vous observez. Tandis que si vous cultivez seulement un ou deux sens, il y a fragmentation. Là où il y a fragmentation, il y a la structure du « moi ».

En observant le désir, en tant que facteur de la peur, voyez comment la pensée survient et crée l'image. Mais si l'on est complètement attentif alors la pensée ne s'immisce pas dans le mouvement de la sensation. Cela demande une grande attention intérieure avec sa discipline.

Le temps est un autre facteur de la peur – le temps psychologique, pas celui du lever et du coucher de soleil, d'hier, d'aujourd'hui et de demain. Le temps est un des facteurs les plus importants de la peur. Il ne s'agit pas de faire cesser le temps qui est mouvement, mais de comprendre la nature du temps psychologique, pas intellectuellement ou avec des mots, mais on doit vraiment l'observer psychologiquement, intérieurement. Nous pouvons être libres du temps ou nous pouvons en être esclaves.

Dans la plupart d'entre nous il y a un élément de violence qui n'a jamais été résolu, jamais effacé de façon à nous permettre de vivre sans aucune violence. Ne pouvant pas être débarrassés de la violence, nous avons créé l'idée de son contraire : la non-violence. La non-violence est un non-fait – la violence est un fait. La non-violence n'existe pas – si ce n'est sous forme d'idée. Ce qui existe, « ce qui est », c'est la violence. C'est comme ces gens, en Inde, qui disent qu'ils vénèrent l'idée de la non-violence, ils la prêchent, ils en parlent, ils l'imitent – ils s'occupent d'un non-fait, d'une non-réalité, d'une illusion. Ce qui est un fait, c'est la violence, grande ou petite, mais la violence. Quand vous poursuivez la non-violence, qui est une illusion, qui n'est pas une réalité, vous cultivez le temps. C'est-à-dire « Je suis violent, mais je serai non-violent ». Le « Je serai », c'est le temps, qui est le futur, un futur qui n'a aucune réalité, c'est une invention de la pensée pour s'opposer à la violence. C'est l'ajournement de la violence qui crée le temps. Lorsqu'il y a une compréhension et ainsi la fin de la violence, il n'y a pas de temps psychologique. Nous pouvons être maîtres du temps psychologique; ce temps peut être totalement éliminé si vous voyez que le contraire n'a pas de réalité. « Ce qui est » n'a pas de temps. Pour comprendre « ce qui est », il n'y a pas besoin de temps, mais seulement une observation complète. Dans l'observation de la violence, par exemple, il n'y a pas de mouvement de pensée, il y a seulement la possession de cette énorme énergie que l'on appelle violence et son observation. Mais à partir du moment où il y a une distortion, l'ambition de devenir non-violent, vous avez introduit le temps.

La comparaison, avec toute sa complexité, le désir et le temps, sont des éléments de la peur – de la peur très profondément enracinée. Lorsqu'il y a observation et par conséquent, aucun mouvement de pensée – on observe seulement le mouvement total de la peur – il y a cessation complète de la peur et l'observateur n'est pas différent de l'observé. C'est un élément très important à comprendre. Et pendant que vous observez, complètement, la peur cesse, alors l'esprit humain n'est plus prisonnier du mouvement de la peur. S'il y a une peur quelconque, l'esprit est en désordre, déformé et par conséquent il n'a pas de clarté. Et il doit y avoir de la clarté pour permettre à ce qui est éternel d'exister. Observer le mouvement de la peur en soi-même, en examiner toute la complexité les ramifications et rester complètement avec elle, sans un mouvement de pensée, c'est la fin totale de la peur.

le 27 mars 1982

CHAPITRE VII

OJAI

Avant toute chose, comprenez que nous n'instruisons personne sur aucun sujet; nous ne faisons pas non plus état d'une idée, d'une croyance ou d'une conclusion pour vous convaincre; ce n'est pas de la propagande. Mais je pense qu'il serait bon, si nous pouvions, pendant ces causeries, réfléchir ensemble, observer et écouter ensemble le mouvement complet de notre vie, que ce soit en Afrique du Sud, en Amérique du Sud, en Amérique du Nord, en Europe ou en Asie. Nous nous occupons d'un problème très complexe qui demande à être étudié très prudemment, avec beaucoup d'hésitation, sans direction, sans mobile, afin d'observer, si possible, l'ensemble des événements extérieurs de notre vie. Ce qui arrive, à l'extérieur de nous, est la mesure qui nous permettra de nous comprendre intérieurement. Si nous ne comprenons pas ce qui arrive vraiment dans le monde extérieur, en dehors du domaine psychologique, nous n'aurons aucune mesure qui nous permette de nous observer.

Observons ensemble sans aucun parti pris, tel que celui de se considérer américain, argentin, anglais, français, russe ou asiatique; observons sans aucun mobile – ce qui est assez difficile – et si possible voyons clairement ce qui se passe. Lorsqu'on voyage à travers le monde, on se rend compte qu'il y a beaucoup de dissension, de discorde, de désaccord, de désordre, beaucoup de confusion, d'incertitude. On voit des manifestations contre certains types de guerres et les énormes préparatifs de guerre, les sommes incalculables consacrées à l'armement, une nation contre une autre se préparant pour un conflit éventuel. Il y a les divisions nationales. Il y a l'honneur national pour lequel des milliers de gens sont prêts à en tuer d'autres et fiers de le faire. Il y a les divisions des religions et des sectes : les catholiques, les protestants, les hindous, les mahométans, les bouddhistes. Il y a les différentes sectes et les gourous, avec leurs adeptes. Il y a une autorité spirituelle chez les catholiques et les protestants, il y a l'autorité du livre dans le monde islamique. Donc, partout il y a une division constante qui conduit au désordre, au conflit et à la destruction. Il y a l'attachement à une nationalité, à une région, espérant trouver de cette façon une sorte de sécurité intérieure ou extérieure. Voici les phénomènes qui ont lieu dans le monde, dont nous faisons tous partie – je suis sûr que nous voyons tous la même chose. Il y a aussi l'isolement qui sévit, non seulement pour chaque être humain, mais également entre les groupes qui sont liés par une croyance, une foi, ou une conclusion idéologique; cela se passe de la même façon dans les états totalitaires et dans les soi-disant démocraties avec leurs idéaux. Idéaux, croyances, dogmes et rituels séparent l'humanité. C'est ce qui se passe vraiment dans le monde extérieur et c'est le résultat de notre propre vie psychologique intérieure. Nous sommes des gens isolés et le monde extérieur est créé par chacun d'entre nous.

Nous avons tous une profession, une croyance, des conclusions et des expériences qui nous sont propres, auxquelles nous nous accrochons et de ce fait, chacun de nous s'isole. Cette activité égocentrique se manifeste extérieurement sous forme de nationalisme, d'intolérance religieuse, même si ce groupe comprend sept cent millions de personnes, comme dans le monde catholique et en même temps chacun de nous s'isole. Nous créons un monde divisé par le nationalisme qui est une forme valorisée de tribalisme; chaque tribu est prête à en tuer une autre pour sa croyance, pour ses terres, pour son commerce florissant. Nous connaissons tous ceci, au moins ceux qui sont informés, qui écoutent la radio, qui regardent la télévision, les journaux et ainsi de suite.

Il y a également ceux qui disent que cela ne

peut pas être changé, qu'il n'y a aucune possibilité que la condition humaine soit transformée. Ils disent que le monde va ainsi depuis des milliers et des milliers d'années, qu'il est créé par la condition humaine et que cette condition ne pourra jamais amener un changement. Ils affirment qu'il peut y avoir des modifications, de légers changements, mais que l'homme sera toujours fondamentalement ce qu'il est, créant la division en lui et dans le monde. Il y a ceux qui, dans le monde entier, préconisent des réformes sociales de toutes sortes, mais ils n'ont pas apporté une mutation profonde et fondamentale dans la conscience humaine. Tel est l'état du monde.

Et comment regardons-nous tout cela ? Comment réagissons-nous en tant qu'êtres humains ? Quelle est notre véritable relation, non seulement entre nous, mais aussi avec le monde extérieur, quelle est notre responsabilité ? Est-ce que nous laissons cela aux politiciens ? Cherchons-nous de nouveaux leaders, de nouveaux sauveurs ? C'est un problème très sérieux, dont nous parlons ensemble. Ou bien retournons-nous aux vieilles traditions, car les êtres humains, incapables de résoudre ce problème, retournent aux vieilles traditions du passé. Plus il y a de confusion dans le monde et plus grand est le désir et le besoin de certains de retourner aux illusions passées, aux traditions passées, aux anciens leaders, aux anciens soi-disant sauveurs.

Donc si l'on est conscient de tout cela, comme on doit l'être, quelle est notre réponse, pas une réponse incomplète mais totale, à tout ce phénomène qui se déroule dans le monde ? Est-ce que l'on ne s'intéresse qu'à sa propre vie, à une façon de vivre tranquille, serein, paisible dans un coin ; ou bien est-ce que l'on s'occupe de la totalité de l'existence humaine, de toute l'humanité ? Si l'on est seulement concerné par notre vie personnelle, même si c'est difficile, même si c'est limité, même si cela apporte beaucoup de douleur et de peine, on ne réalise pas que cela fait partie du tout. On doit regarder la vie, pas la vie américaine ou la vie orientale, mais la vie comme un tout : une observation holistique ; une observation qui ne soit pas personnelle ; ce n'est pas notre propre observation, mais l'observation qui comprend la totalité, la vision holistique de la vie. Chacun est concerné par ses propres problèmes – problèmes d'argent, de travail, de rechercher ses propres satisfactions, l'éternelle recherche du plaisir ; le fait d'avoir peur, d'être isolé, seul, déprimé, souffrant et créant un sauveur à l'extérieur qui transformera ou amènera le salut pour chacun de nous. C'est la tradition en Occident depuis deux mille ans ; et en Orient, on a soutenu la même idée avec des mots et des symboles différents, des conclusions différentes ;

mais c'est la même recherche d'un salut individuel, d'un bonheur personnel, pour résoudre tous nos problèmes nombreux et complexes. Il y a des spécialistes de toutes sortes, les spécialistes en psychologie, vers lesquels on se tourne pour résoudre nos problèmes. Eux non plus n'ont pas réussi.

Technologiquement, les scientifiques ont permis de réduire les maladies, d'améliorer la communication; mais en même temps, ils ont augmenté le pouvoir dévastateur des armes de guerre, la possibilité de massacrer, d'un seul coup, un grand nombre de personnes. Les scientifiques ne sauveront pas l'humanité; les politiciens non plus, aussi bien à l'est qu'à l'ouest ou dans n'importe quelle partie du monde. Les hommes politiques recherchent le pouvoir, une situation et ils jouent toutes sortes de tours pour mystifier notre pensée. Il en est de même dans le monde soi-disant religieux; l'autorité de la hiérarchie, celle du Pape, des archevêques, des évêques et des prêtres locaux, au nom des images créées par la pensée.

Nous, êtres humains séparés et isolés, n'avons pas pu résoudre nos problèmes. Bien que nous soyions très bien éduqués, astucieux, égoïstes et capables d'étonnantes réalisations à l'extérieur; intérieurement, nous sommes plus ou moins identiques, depuis des milliers d'années. Nous sommes en rivalité, nous haïssons, nous nous entre-détruisons; c'est ce qui arrive réellement à l'heure actuelle. Vous avez entendu les experts parler de guerres récentes; ils ne parlent pas des êtres humains qui se font tuer, mais des terrains d'aviation à détruire, des objectifs à faire sauter. Il y a cette confusion totale dans le monde, ce dont, j'en suis bien sûr, nous sommes tous conscients; qu'allons-nous donc faire? Comme un ami l'a dit à l'orateur, il y a quelque temps : « Vous ne pouvez rien faire, vous vous cognez la tête contre un mur. Il en sera toujours ainsi : on continuera à se battre, à s'entre-tuer, à rivaliser et à rester prisonnier de toutes sortes d'illusions. Cela continuera toujours. Ne perdez pas votre vie et votre temps. » Conscient de la tragédie du monde, des événements effroyables qui surviendront si un fou appuie sur un bouton, les ordinateurs qui prennent la relève des capacités de l'homme, qui pensent plus vite et plus précisément – que va-t-il arriver à l'être humain? C'est le vaste problème que nous examinons.

Depuis l'enfance, l'éducation qui nous est donnée à l'école, au lycée et à l'université, consiste à nous spécialiser d'une façon ou d'une autre, à accumuler beaucoup de savoir, puis à trouver un emploi et à le garder le reste de nos jours; allant au bureau, du matin au soir et finalement mourir. Ce n'est pas une attitude ou une observation pessimiste; c'est ce qui se passe vraiment. Quand on observe ce fait, on n'est ni optimiste, ni pessimiste, c'est un fait. Et si l'on est sérieux et responsable, on se demande : que peut-on faire ? Se retirer dans un monastère ? Former une communauté ? Fuir en Asie et pratiquer la méditation Zen ou une autre sorte de méditation ? On se pose cette question très sérieusement. Quand on est confronté à cette crise, c'est une crise dans notre conscience, ce n'est pas là-bas, à l'extérieur de nous. La crise est en nous. Comme dit le proverbe : « Nous avons vu l'ennemi et l'ennemi, c'est nous. »

La crise n'a rien à voir avec l'économie, les guerres, la bombe, les politiciens ou les scientifiques, elle est en nous, la crise est dans notre conscience. Le monde continuera à créer plus de misère, de confusion et d'horreur tant que nous n'aurons pas compris très profondément la nature de cette conscience, que nous ne l'aurons pas examinée, fouillée profondément et découvert tout seul s'il peut y avoir une mutation totale dans cette conscience. Notre responsabilité ne consiste pas à accomplir une action altruiste à l'extérieur de nous, en politique, en économie ou dans le domaine social; c'est de comprendre la nature de notre être, de découvrir pourquoi nous, les êtres humains – qui vivons sur cette belle terre – sommes devenus ainsi.

Ici, nous essayons, vous et l'orateur, ensemble, pas séparément, ensemble, d'observer le mouvement de la conscience et de ses relations avec le monde, et de voir si cette conscience est individuelle, séparée ou si elle est commune à toute l'humanité. Depuis l'enfance, nous avons été éduqués à être des individus, chacun ayant une âme séparée, ou nous avons été formés, éduqués, conditionnés à penser en individu. Ayant des noms différents, des formes différentes, par exemple : brun, blond, grand, petit; avec pour chacun des tendances propres, nous pensons que nous sommes des individus séparés avec nos expériences personnelles et ainsi de suite. Nous allons examiner cette idée selon laquelle nous sommes des individus. Cela ne signifie pas que nous sommes une espèce d'être amorphe, mais d'examiner vraiment si nous sommes des individus, malgré le fait que le monde entier soutient, à la fois religieusement et autrement, que nous sommes des individus séparés. A partir de ce concept et peut-être à partir de cette illusion, chacun d'entre nous essaie de se réaliser, de devenir quelque chose. Dans cet effort en vue de devenir quelque chose, nous sommes en compétition, en lutte avec l'autre; de sorte que si l'on conserve cette façon de vivre il est inévitable que l'on continue à s'accrocher aux nationalités, au tribalisme et à la guerre. Pourquoi se cramponne-t-on au nationalisme avec tant de passion ? – c'est ce qui arrive actuellement. Pourquoi donnons-nous une importance aussi extraordinaire et passionnée au nationalisme – qui est essentiellement du tribalisme? Pourquoi? Est-ce parce que dans cet attachement à la tribu, au groupe, il y a une certaine sécurité, un sentiment de plénitude intérieure. S'il en est ainsi, alors l'autre tribu pense de la même façon; d'où la division, la guerre et le conflit. Si l'on voit vraiment la vérité de tout ceci, pas comme une chose théorique et si l'on veut vivre sur cette terre – qui est notre terre, pas la vôtre ou la mienne – alors il n'y a plus du tout de nationalisme. Il n'y a plus que l'existence humaine, une vie, pas votre vie ou la mienne; mais la vie dans sa totalité. Cette tradition d'individualité a été perpétuée par les religions tant à l'est qu'à l'ouest; le salut pour chaque individu, etc., etc.

C'est très bien d'avoir un esprit qui s'interroge, qui n'accepte pas; un esprit qui dit : « Il n'est plus possible de vivre ainsi, de cette façon brutale et violente. » Il faut douter, remettre en question, ne pas accepter le mode de vie que nous avons suivi pendant peut-être cinquante ou soixante ans, ni la façon de vivre de l'homme depuis des milliers d'années. Donc, nous mettons en doute la réalité de l'individualité. Votre conscience est-elle vraiment la vôtre? – être conscient signifie être informé, savoir, percevoir, observer – le contenu de votre conscience comprend vos croyances, vos plaisirs, vos expériences, le savoir personnel que vous avez accumulé sur certains sujets extérieurs ou sur vous-même; il comprend vos peurs et vos attachements; la souffrance et la détresse de la solitude, le chagrin, la recherche de quelque chose de plus que l'existence physique; tout cela est le contenu de votre conscience. Le contenu fait la conscience; sans son contenu, il n'y a pas de conscience telle que nous la connaissons. Ici, il n'y a pas matière à controverse. C'est ainsi. Alors, votre conscience – qui est très complexe, contradictoire, avec une telle vitalité – est-elle vôtre? Votre pensée vous appartient-elle? Ou bien, y a-t-il seulement la pensée, qui n'est ni occidentale, ni orientale – la pensée, qui est commune à toute l'humanité, au riche comme au pauvre, au technicien avec des compétences extraordinaires comme au moine qui se retire du monde et qui se consacre à une idée?

Où que l'on aille, on voit la souffrance, la douleur, l'angoisse, la solitude, la folie, la peur, la recherche de la sécurité, l'emprisonnement dans le savoir et la pulsion du désir; cela fait partie du fond commun de tous les êtres humains. Notre conscience est la conscience du reste de l'humanité. C'est logique; vous pouvez ne pas être d'accord, vous pouvez dire : « ma conscience est séparée et doit être séparée », mais est-ce ainsi? Si l'on comprend la nature de ceci, alors on voit que l'on est le reste de l'humanité. On peut avoir des noms différents, on peut vivre dans une certaine partie du monde et être éduqué d'une certaine façon, on peut être riche ou très pauvre, mais quand on va au-delà du masque, profondément, on est comme le reste de l'humanité – blessé, solitaire, souffrant, désespéré, névrosé; croyant à des illusions et ainsi de suite. Aussi bien à l'Est qu'à l'Ouest, c'est ainsi. Cela peut déplaire, on préfère peut-être penser que l'on est totalement indépendant, que l'on est un individu libre, mais quand on observe très profondément, on est le reste de l'humanité.

On peut admettre tout ceci en tant qu'idée, qu'abstraction, en en faisant un merveilleux concept, mais l'idée n'est pas la réalité. Une abstraction n'est pas ce qui se passe vraiment. Mais on fabrique une abstraction à partir de ce qui est, on en fait une idée et puis on poursuit cette idée, qui est en réalité un non-fait. Donc, si le contenu de ma conscience et de la vôtre est en lui-même contradictoire, confus, luttant contre un autre, un fait s'opposant à un non-fait, voulant être heureux, étant malheureux, voulant vivre sans violence alors que l'on est violent – alors notre conscience est désordre en elle-même. Là est la racine de la dissension. Tant que l'on n'aura pas compris cela et tant que l'on ne l'aura pas examiné très profondément et trouvé l'ordre absolu, il y aura toujours du désordre dans le monde. Donc, on ne dissuadera pas facilement une personne sérieuse de continuer à comprendre, de continuer à fouiller au fond d'elle-même, au fond de sa conscience, elle ne se laissera pas facilement séduire par les amusements et les distractions – qui peuvent être parfois nécessaires – continuant sans cesse, chaque jour, à explorer la nature de l'homme, c'est-à-dire, en elle-même, observant ce qui se passe réellement en elle. Et l'action découle de cette observation. Il ne s'agit pas de se demander : que puis-je faire en tant qu'être humain séparé, mais il est question d'une action qui provienne d'une observation holistique de la vie. L'observation holistique est une perception saine, raisonnable, rationnelle, logique qui est complète, qui est sainte. Est-il possible, pour un être humain, comme chacun d'entre nous qui sommes des profanes, pas des spécialistes, des profanes, est-il possible pour lui de regarder cette conscience contradictoire et confuse comme un tout; ou bien doit-il examiner chaque partie séparément? Nous voulons nous comprendre, comprendre notre conscience. On sait depuis le début, qu'elle est très contradictoire; voulant une chose et n'en voulant pas une autre; disant une chose et en faisant une autre. Et l'on sait que les croyances divisent les hommes. On croit en Jésus, Krishna ou en quelque chose, ou on croit en sa propre expérience à laquelle on se cramponne, cela comprend le savoir que l'on a accumulé au cours des quarante ou soixante ans de sa vie et qui est devenu extraordinairement important. On s'accroche à cela. On reconnaît que la croyance détruit et divise les gens et cependant, on ne peut pas y renoncer parce que la croyance a une étrange vitalité. Elle nous donne un sentiment de sécurité. On croit en Dieu et il y a une extraordinaire force là-dedans. Mais Dieu a été inventé par l'homme. Dieu est la projection de notre propre pensée, le contraire de nos propres demandes, de notre propre désespoir.

Pourquoi a-t-on des croyances ? Un esprit qui est mutilé par la croyance est un esprit malade. On doit s'en débarrasser. Donc, est-il possible de fouiller notre conscience – sans être persuadé ou guidé par les psychologues, les psychiatres et ainsi de suite – de fouiller profondément en soi-même et de découvrir ; ainsi on ne dépend de personne, pas même de l'orateur ? Quand on pose cette question, comment va-t-on connaître les complexités, les contradictions, le mouvement global de la conscience ? Peut-on la connaître petit à petit ? Prenez par exemple, la blessure dont chaque être humain souffre depuis l'enfance. On est blessé psychologiquement par ses parents. Puis blessé à l'école, à l'université par la comparaison, la compétition, parce que l'on vous dit que vous devez obtenir la mention très bien dans cette matière et ainsi de suite. Constamment, au cours de notre vie, il y a ce processus de blessure. On le sait et on sait aussi que tous les humains sont blessés profondément, ce dont ils ne se rendent peut-être pas compte et ceci est à l'origine de tous les actes névrotiques. Cela fait partie de notre conscience. Le fait d'être blessé est inscrit dans notre conscience, en partie ouvertement et en partie de façon cachée. Mais, est-il possible de ne pas du tout être blessé ? Parce que cette blessure a pour conséquence de construire un mur autour de soi et de moins s'impliquer dans nos relations avec les autres pour ne plus être blessé. Dans tout cela, il y a de la peur et un isolement progressif. Et maintenant nous nous demandons : est-il possible, non seulement, d'être débarrassé des blessures passées, mais aussi de ne plus jamais être blessé, pas en s'endurcissant, en devenant indifférent ou en fuyant toute relation ? On doit examiner pourquoi on est blessé et qu'est-ce qui est blessé. Cette blessure fait partie de notre conscience et elle est à l'origine de diverses actions névrotiques et contradictoires. On examine la blessure comme on examine la croyance. Ce n'est pas à l'extérieur de nous, c'est à l'intérieur de nous. Mais qu'est-ce qui est blessé et est-il possible de ne plus jamais être blessé ? Peut-on être un être humain libre, totalement, que rien ne peut blesser psychologiquement, intérieurement ?

Qu'est-ce qui est blessé ? On dit que c'est Je qui est blessé. Qu'est-ce que ce « Je » ? Depuis l'enfance on s'est forgé une image de soi-même.

On a beaucoup, beaucoup d'images; non seulement l'image que les gens nous donnent, mais aussi les images que l'on a fabriquées; être un américain, c'est une image, ou être un hindou ou un spécialiste. Donc, le Je est l'image que nous avons de nous-même, comme un grand homme ou comme quelqu'un de très bon et c'est cette image qui est blessée. On peut avoir une image de soi comme étant un grand orateur, un auteur, quelqu'un de religieux, un leader. Ces images forment le cœur de nous-même; quand nous disons que nous sommes blessés, nous voulons dire que ce sont ces images qui sont blessées. Si l'on a une image de soi et qu'un autre vient nous dire : « Ne fais pas l'imbécile », on est blessé. L'image que nous nous sommes bâtie de nous-même comme n'étant pas un imbécile, c'est moi, et c'est cela qui est blessé. On traîne cette image et cette blessure pour le reste de sa vie – et l'on prend bien soin de ne plus être blessé et d'esquiver toute allusion à notre imbécillité.

Les conséquences de ces blessures sont très complexes. A cause de ces blessures, on peut vouloir se réaliser en devenant ceci ou cela comme pour échapper à cette blessure terrible; donc cela doit être compris. Mais est-il possible de n'avoir aucune image de soi ? Pourquoi a-t-on une image de soi ? Quelqu'un peut paraître très gentil, doué, intelligent, lucide et l'on veut être comme lui; et si on ne l'est pas, on est blessé. La comparaison peut être un élément de blessure psychologique; alors pourquoi compare-t-on?

Peut-on vivre dans ce monde moderne sans aucune image? L'orateur peut dire que c'est possible. Mais quand on veut découvrir s'il est possible de ne plus jamais être blessé et en plus de vivre une vie sans aucune croyance, cela demande beaucoup d'énergie, car c'est la croyance qui divise les hommes et les fait s'entretuer. Donc, peut-on vivre sans une seule croyance et sans jamais avoir une image de soi? C'est la véritable liberté.

C'est possible, quand on vous traite d'imbécile et que l'on a une image de soi, d'être totalement attentif à ce qui est dit parce que lorsqu'on a une image de soi et qu'on vous traite d'imbécile, on réagit instantanément. Comme la réaction est immédiate, soyez attentif à ce côté instantané de la réaction. C'est-à-dire, écoutez avec beaucoup de clarté cette suggestion que vous êtes un imbécile, écoutez-la très attentivement; quand on l'écoute avec une attention complète, il n'y a pas de réaction. C'est parce que l'on n'est pas profondément attentif que l'image se construit et qu'à partir de là on réagit. Supposons que j'ai une image de moi, parce que j'ai voyagé à travers le monde et ainsi de suite. Vous venez me dire, regarde mon vieux, tu n'es pas aussi bon que l'autre gourou, ou l'autre leader, ou un autre maître, ou un autre imbécile; toi aussi, tu es un imbécile. J'écoute tout cela complètement, je fais très attention à ce qui est dit. Quand il y a une attention totale, on ne forme pas de centre. Ce n'est que l'inattention qui crée le centre. Un esprit indolent, un cerveau confus, perturbé, névrosé, qui n'a jamais fait face à quoi que ce soit, qui n'a jamais exigé de lui-même ses capacités maximum, peut-il être totalement attentif ? Quand on est totalement attentif devant cette affirmation que l'on est un imbécile, elle n'a plus aucun sens. Parce que lorsqu'il y a attention, il n'y a pas un centre qui réagit.

le 1er mai 1982

CHAPITRE VIII

SAANEN

Apparemment, nous nous occupons toujours des conséquences; psychologiquement, nous essayons toujours de modifier ou de changer les effets ou les résultats. Nous n'examinons jamais profondément les causes de ces effets. Toutes nos façons de penser et d'agir ont une cause, une raison, un motif, un fondement. Si la cause vient à cesser, qu'y a-t-il alors au-delà?

L'orateur espère que cela ne vous dérangera pas, s'il vous rappelle qu'il est totalement anonyme. Il n'est pas important. L'important est de découvrir, soi-même, si ce qui est dit est vrai ou faux et cela dépend de l'intelligence. L'intelligence c'est la découverte de ce qui est faux et son rejet total. Je vous en prie, souvenez-vous qu'ensemble, en coopération, nous étudions, nous examinons, nous explorons tous ces problèmes. Ce n'est pas l'orateur qui explore, mais vous qui explorez avec lui. Il ne s'agit pas de le suivre. Il n'est investi d'aucune autorité. Il faut le répéter constamment car la plupart d'entre nous sont enclins à suivre, à accepter surtout quand cela vient de ceux que vous considérez comme différents ou spirituellement avancés – toutes ces absurdités. Donc, je vous en prie, si je puis vous le répéter encore et encore : nos esprits et nos cerveaux sont conditionnés à suivre – comme vous suivez un professeur à l'université; il informe et nous acceptons puisqu'il connaît sûrement mieux son sujet que nous – mais ici il ne s'agit pas de cela. L'orateur ne vous informe pas, il ne vous pousse pas non plus à accepter ce qui est dit; mais ensemble nous devons plutôt examiner en coopération tous ces problèmes humains, qui sont très complexes et qui requièrent beaucoup d'observation, beaucoup d'énergie et d'investigation. Mais si vous vous contentez de suivre, vous ne faites que suivre l'image que vous vous êtes fait de lui ou du sens symbolique des mots. Je vous en prie, gardez bien cela à l'esprit. Nous allons ensemble examiner ce qu'est l'intelligence. Est-ce que la pensée, notre pensée, notre façon d'agir, tout le contexte social, moral ou immoral dans lequel nous vivons, tout cela est-il l'activité de l'intelligence? Découvrir et explorer est un des éléments de l'intelligence; explorer la nature du faux, parce que dans la compréhension du faux, dans la révélation de ce qui est une illusion, se trouve la vérité, qui est intelligence.

L'intelligence a-t-elle une cause? La pensée a une cause. On pense parce que l'on a des expériences passées, une accumulation d'informations et de savoir passés. Ce savoir n'est jamais complet, il va de pair avec l'ignorance et c'est sur ce terrain du savoir avec ses ignorances, qu'est née la pensée. La pensée est forcément partielle, limitée, fragmentée, car elle est le fruit du savoir et le savoir ne peut jamais être complet. La pensée est obligatoirement incomplète, insuffisante, limitée. Et nous utilisons cette pensée, sans en voir ses limites; nous vivons constamment en produisant des pensées et en adorant les choses que la pensée a créés. La pensée a créé la guerre, les instruments pour la faire et la terreur de la guerre. La pensée a créé tout le monde technologique. Donc, est-ce que la pensée, l'activité de la pensée, qui consiste à comparer, à s'identifier, se réaliser, rechercher la satisfaction et la sécurité – qui sont les résultats de la pensée – est intelligente? Le mouvement de la pensée va du passé au futur en passant par le présent – ce qui est le mouvement du temps – et la pensée a son habileté, avec sa capacité de s'adapter, comme aucun animal sauf l'homme ne peut le faire.

Donc la pensée a une cause, c'est évident. On veut construire une maison, on veut conduire une voiture, on veut être puissant, célèbre, on est médiocre et l'on voudrait être intelligent, on veut réussir, se réaliser, tout cela est le mouvement du centre d'où provient la pensée. C'est tellement évident. Par ce qui est évident, nous allons pénétrer dans ce qui peut être difficile. Mais d'abord, nous devons être très clairs sur ce qui est évident. Il y a une cause et il y a un effet, un effet qui peut être immédiat ou remis à plus tard. Le mouvement qui va de la cause à l'effet, c'est le temps. On a fait quelque chose d'incorrect dans le passé; son effet peut être de devoir le payer immédiatement ou dans un délai de cinq ans. Il y a une cause suivi d'un effet; l'intervalle qui les sépare, qu'il soit d'une seconde ou de plusieurs années, est le mouvement du temps. Mais l'intelligence est-elle le mouvement du temps? Réfléchissez-y, examinez-le, parce qu'il ne s'agit pas de clarifier ou d'expliquer tout cela avec des mots; mais voyez-en la réalité, la vérité.

Nous allons examiner les divers aspects de notre vie quotidienne – et non pas un concept utopique ou une conclusion idéologique qui servirait de modèle à nos actions – nous explorons notre vie, notre vie qui est la vie de toute l'humanité; ce n'est pas ma vie ou votre vie; la vie est un énorme mouvement et nous y avons taillé des morceaux que nous nommons des moi individuels.

Nous disons que lorsqu'il y a une cause, l'effet peut cesser avec la fin de la cause. Si on a la tuberculose, c'est la cause de notre toux et de la perte de sang; cette cause peut être guérie et les effets disparaîtront. Toute notre vie est faite de ce mouvement de cause et d'effet: vous me flattez, j'en suis ravi et je vous flatte. Vous me dites quelque chose de déplaisant et je vous hais. Dans tout ce mouvement, il y a la cause et l'effet. Bien sûr. Nous demandons: y a-t-il une vie, une façon de vivre sans causalité? Mais avant tout, nous devons comprendre les implications d'en finir. On en finit avec la colère ou l'envie afin d'obtenir autre chose; cette fin amène de nouvelles causes. Qu'est-ce que terminer? La fin est-elle une continuation? On termine quelque chose et on en commence une autre – ce qui est la même chose sous une autre forme. Pour approfondir cela, on doit comprendre le conflit des contraires, le conflit de la dualité. On est envieux et pour diverses raisons sociales ou économiques, on veut y mettre un terme. Dans cette conclusion, on veut trouver quelque chose d'autre qui est alors une cause. Ce quelque chose d'autre est le produit de l'envie. En mettant un terme à l'envie, nous n'avons fait que la remplacer par autre chose. On est violent par nature; violence héritée de l'animal etc. On veut mettre fin à cette violence parce qu'on trouve que c'est trop stupide. En essayant d'y mettre un terme, on tente de trouver un domaine exempt de violence, qui ne contienne pas une trace de violence. Mais on n'a pas vraiment mis fin à la violence, on n'a fait que transformer ce sentiment en un autre sentiment, mais le principe reste le même.

Si nous explorons ce sujet très prudemment, très profondément, cela aura un effet sur notre vie quotidienne; cela peut être la fin du conflit. Notre vie est en conflit, notre conscience est en conflit, elle est confuse, contradictoire. Notre conscience est le résultat de la pensée. La pensée est soumise à la causalité, notre conscience est soumise à la causalité. On constate que notre vie complexe avec ses contradictions, ses imitations et son conformisme, ses diverses conclusions avec leurs contraires, est un mouvement de causalité. Peut-on mettre un terme à cette causalité par la volonté, par le désir d'avoir une vie en ordre? Si on le fait, alors cette vie est le fruit de la causalité - parce qu'on est désordonné. Découvrir le désordre de sa vie et désirer avoir une vie en ordre, tout cela est dans la chaîne de la causalité, on voit par conséquent qu'elle ne sera pas en ordre.

Qu'est-ce que l'ordre? Il y a, bien sûr, l'ordre de la loi, fondé sur des expériences, des jugements, des nécessités, des commodités, afin de réprimer celui qui fait une mauvaise action. Ce que nous appelons l'ordre social, l'ordre éthique, l'ordre politique, est essentiellement fondé sur la cause. Maintenant on se demande si intérieurement, psychologiquement, l'ordre a une cause? Est-ce que nous reconnaissons, est-ce que nous voyons que nos vies, de façon désordonnée, contradictoire, se conforment, suivent, acceptent, refusent ce que nous pouvons vouloir et acceptent autre chose? Le conflit entre les différents contraires est désordre. Puisque nous acceptons une forme de pensée comme étant l'ordre, nous pensons que son contraire est le désordre. Le contraire peut créer le désordre, nous vivons donc toujours dans le domaine de ces opposés. Alors, le désordre cessera-t-il complètement dans nos vies, si nous voulons l'ordre? On veut vivre paisiblement, avoir une vie agréable avec des relations amicales et ainsi de suite, mais cette volonté provient du désordre. La cause du contraire est son propre contraire. On hait, mais on ne doit pas haïr, alors on s'efforce de ne pas haïr. Ne pas haïr est le fruit de la haine. S'il n'y a pas de haine, il n'y a pas de contraire.

La pensée a créé le désordre. Regardons ce fait. La pensée a créé le désordre dans le monde par le nationalisme, les croyances, l'un est juif, l'autre est arabe, l'un croit et l'autre ne croit pas. Ce sont des activités de la pensée, qui, par essence, est un facteur de division. Elle ne peut pas amener l'unité puisqu'elle est elle-même fragmentée. Ce qui est fragmenté ne peut pas voir la totalité. On découvre que notre conscience est complètement en désordre et que l'on veut l'ordre, espérant ainsi en finir avec le conflit. Il y a un mobile et celui-ci est la cause de mon désir d'avoir une vie en ordre. Le désir de l'ordre provient du désordre. Cet ordre désiré perpétue le désordre – qui règne en politique, en religion et dans les autres domaines.

Mais, on voit la cause du désordre et on ne sort pas du désordre. On en voit la cause, le fait que nous sommes contradictoires, que nous sommes en colère; on voit la confusion. On en voit la cause. On ne sort pas de la cause ou de l'effet. On est la cause et on est l'effet. On voit que l'on est la cause et que ce qui arrive est nous-même. Tout mouvement pour sortir de cela, revient à perpétrer le désordre. Alors, y a-t-il une fin sans un futur ? Une fin de « ce qui est » qui n'a pas de futur ? Tout projet issu de ma demande d'ordre est toujours la continuation du désordre. Existe-t-il une observation de mon désordre et une fin de ce désordre qui n'aient pas de cause ?

On est violent. La violence est dans tous les êtres humains. La cause de cette violence est essentiellement un mouvement égocentrique. L'autre est aussi violent puisqu'il est égocentrique. Par conséquent, c'est la bagarre entre nous. La pensée ne poursuit pas la non-violence qui est une forme de violence. Si l'on voit cela très clairement, alors on n'est concerné que par la violence. La cause de cette violence peut être nos nombreuses exigences contradictoires, nos nombreuses tensions etc. Donc, il y a de nombreuses causes et une de ces causes de violence est le moi. Le moi a bien des aspects, il se cache derrière beaucoup d'idées : on est un idéaliste parce que cela nous attire et on veut travailler pour cet idéal, mais en travaillant pour cet idéal, on devient de plus en plus important et on dissimule cela derrière l'idéal; cette fuite de soi fait partie de soi. Tout ce mouvement est la cause de la violence. Un idéaliste veut tuer d'autres personnes parce qu'ainsi il y aura un monde meilleur – vous savez bien ce qui se passe.

Notre vie est conditionnée par beaucoup de causes. Y a-t-il une façon de vivre, psychologiquement parlant, sans aucune cause? Je vous en prie, approfondissez cela. C'est une enquête merveilleuse; rien que de poser cette question demande une grande recherche. On veut la sécurité, alors on suit un gourou. On peut mettre ses vêtements et répéter ce qu'il dit, mais en profondeur, on veut la sécurité. On s'accroche à une idée, une image. Mais l'image, l'idée, la conclusion, le gourou, ne nous amèneront jamais la sécurité. On doit donc explorer la sécurité. La sécurité existe-t-elle intérieurement? Parce qu'on est incertain, confus et qu'un autre dit qu'il n'est pas confus, on se raccroche à lui. Notre demande est de trouver une sorte de paix, d'espoir, une sorte de tranquillité dans notre vie.

Il n'est pas important, mais notre désir l'est. On fera tout ce qu'il veut et on le suivra. Nous sommes assez bêtes pour agir ainsi, mais lorsque l'on en explore la cause, on découvre qu'en profondeur, on veut la protection, le sentiment de sécurité. Mais psychologiquement, peut-il jamais y avoir sécurité? Cette question même implique l'intervention de l'intelligence. Le fait de poser cette question est le fruit de l'intelligence. Mais si on dit qu'il y a toujours une sécurité dans notre symbole, dans notre sauveur, dans ceci ou cela, alors on ne s'en écarte pas. Mais si on commence à explorer, à se demander : la sécurité existe-t-elle...? Donc, s'il y a une cause à la sécurité, ce n'est pas la sécurité, parce que le désir de sécurité est le contraire de la sécurité.

L'amour a-t-il une cause? Nous disons que l'intelligence n'a pas de cause, c'est l'intelligence, ce n'est pas votre intelligence ou mon intelligence. C'est la lumière. Quand il y a la lumière, il n'y a pas ma lumière ou votre lumière. Le soleil n'est pas votre soleil ou mon soleil; c'est l'éclat de la lumière. L'amour a-t-il une cause? S'il n'en a pas, alors l'amour et l'intelligence vont de pair. Quand on dit à sa femme ou à sa petite amie « Je t'aime » qu'est-ce que cela signifie? On aime Dieu. On ne connaît rien de cet être et on l'aime, parce qu'il y a la peur, ce besoin de sécurité et le très lourd poids de la tradition alors le livre

« sacré » nous encourage à aimer ce dont nous ne connaissons rien. Ainsi on dit « Je crois en Dieu ». Mais si l'on découvre que l'intelligence est la sécurité absolue, et que l'amour est en dehors de la causalité et qu'il est ordre, alors l'univers est ouvert – parce que l'univers est ordre.

Examinons maintenant ce qu'est une relation intelligente; pas la relation de la pensée avec ses images. Nos cerveaux sont mécaniques – mécaniques signifie ici, qu'ils sont répétitifs, jamais libres, luttant dans le même domaine, pensant être libres en bougeant d'un coin à l'autre de ce domaine, c'est le choix et pensant que ce choix est liberté, ce qui est simplement la même chose. Notre cerveau qui a évolué à travers les âges, par la tradition, par l'éducation, par le conformisme, par adaptation est devenu mécanique. Il y a peut-être des parties de notre cerveau qui sont libres, mais on ne le sait pas, donc ne l'affirmez pas. Ne dites pas : « Oui, il y a une partie de moi qui est libre » : cela n'a aucun sens. Le fait est que le cerveau est devenu mécanique, traditionnel, répétitif et qu'il a sa propre habileté, sa propre capacité d'adaptation ou de discernement. Mais c'est toujours dans une zone limitée et c'est toujours fragmenté. La pensée a son foyer dans les cellules du cerveau.

Le cerveau est devenu mécanique, comme on peut le voir quand je dis : « Je suis chrétien ou je ne suis pas chrétien, je suis hindou, je crois, j'ai la foi, je n'ai pas la foi » – tout cela est un processus répétitif et mécanique et une réaction à une autre réaction et ainsi de suite. Le cerveau humain étant conditionné, a sa propre intelligence mécanique et artificielle – comme un ordinateur. Nous conserverons cette expression – intelligence mécanique. (On dépense des milliards et des milliards de dollars pour découvrir si un ordinateur peut fonctionner exactement comme le cerveau.) La pensée qui provient de la mémoire, du savoir, emmagasiné dans le cerveau, est mécanique; même si elle a la capacité d'inventer, elle reste mécanique – l'invention est absolument différente de la création. La pensée cherche à découvrir une autre façon de vivre ou un autre ordre social. Mais toute découverte d'un ordre social par la pensée est encore dans le domaine de la confusion. Nous demandons : y a-t-il une intelligence sans cause et qui puisse se manifester dans nos relations – qui ne soit pas cet état de relation mécanique qui existe actuellement.

Nos relations sont mécaniques. On a des pulsions biologiques et on les satisfait. On réclame un certain réconfort, une certaine camaraderie parce qu'on est isolé ou déprimé et en s'accrochant à un autre cette dépression va disparaître. Mais dans notre relation avec l'autre, proche ou non, il y a toujours une cause, un mobile, un terrain sur lequel on établit cette relation. C'est mécanique. Cela se passe ainsi depuis des millénaires; il semble toujours y avoir un conflit entre la femme et l'homme, une bataille constante, chacun suivant sa propre direction, sans jamais se rencontrer, telles deux lignes de chemin de fer. Cette relation est toujours limitée puisqu'elle provient de l'activité de la pensée qui est elle-même limitée. Partout où il y a limitation, le conflit est inévitable. Dans chaque forme d'association – on appartient à ce groupe et un autre appartient à un autre groupe – il y a la solitude, l'isolement et quand il y a isolement, le conflit est inévitable. C'est une loi, elle n'est pas inventée par l'orateur, il est évident que c'est ainsi. La pensée est toujours dans la limitation et ainsi elle s'isole. Donc quand il y a l'activité de la pensée dans les relations, le conflit est inévitable. Voyez-en la réalité. Voyez la vérité de ce fait, pas comme une idée, mais comme quelque chose qui se produit dans notre vie quotidienne – les divorces, les querelles, la haine réciproque, la jalousie; vous connaissez toute cette misère. Votre femme veut vous blesser, elle est jalouse et vous êtes jaloux; ce sont des réactions mécaniques, les activités répétitives de la pensée dans la relation qui amène le conflit. C'est un fait. Mais comment allez-vous faire avec ce fait? Voici le fait : vous et votre femme vous vous querellez, elle vous haït et il y a également votre réaction mécanique, vous la haïssez. Vous découvrez que c'est le souvenir des choses qui ont été conservées dans votre cerveau, qui continue jour après jour. Toute votre pensée est un processus d'isolement – et elle est aussi isolée. Aucun d'entre vous ne découvre jamais la vérité de l'isolement. Mais comment regardez-vous ce fait? Qu'allez-vous faire avec ce fait? Quelle est votre réaction? Faites-vous face à ce fait avec un mobile, avec une cause? Soyez prudent,ne dites pas : « Ma femme me hait », pour étouffer ce fait, alors que vous la haïssez aussi, que vous ne l'aimez pas et ne voulez pas être avec elle, puisque vous êtes tous les deux isolés. Vous êtes ambitieux pour une chose, elle l'est pour une autre. Ainsi votre relation se déroule dans l'isolement. Est-ce que vous abordez ce fait avec une raison, avec un motif qui sont tous des mobiles? Ou bien l'abordez-vous sans mobile, sans cause; Quand vous l'abordez sans cause que se passe-t-il alors? Observez-le. Je vous en prie ne vous hâtez pas de conclure, observez-le en vous-même. Auparavant, vous abordiez ce problème mécaniquement, avec un mobile, avec une raison, un motif qui vous faisait agir. Maintenant vous voyez la bêtise d'un tel comportement puisqu'il est le produit de la pensée. Donc, y a-t-il une approche du fait sans aucun mobile? C'est-à-dire que vous n'avez pas de mobile même si elle en a un. Alors, si vous n'avez pas de mobile, comment regardez-vous ce fait? Le fait n'est pas différent de vous, vous êtes le fait. Vous êtes l'ambition, vous êtes la haine, vous dépendez de quelqu'un, vous êtes cela. Il y a une observation du fait, qui est vous-même, sans aucun mobile, aucune raison. Est-ce possible? Si vous ne le faites pas, vous vivez perpétuellement dans le conflit. Et vous pouvez dire que c'est la seule façon de vivre. Si vous acceptez cela comme façon de vivre, c'est votre affaire, votre plaisir. Votre cerveau, votre tradition et vos habitudes, vous disent que c'est inévitable. Mais quand vous voyez l'absurdité d'une telle acceptation, alors vous êtes obligé de voir que tout ce tourment c'est vous-même, vous êtes l'ennemi, pas elle.

Vous avez rencontré l'ennemi et découvert que c'est vous. Alors, pouvez-vous observer tout ce mouvement du « moi », et l'acceptation traditionnelle que vous êtes séparé – ce qui devient ridicule quand vous examinez l'ensemble de la conscience humaine? Vous êtes parvenu là en comprenant ce qu'est l'intelligence. Nous disons que l'intelligence est sans cause, comme l'amour est sans cause. Si l'amour a une cause, ce n'est pas de l'amour, c'est évident. Si vous êtes « intelligent » afin que le gouvernement vous emploie, ou « intelligent » parce que vous me suivez, ce n'est pas l'intelligence, c'est une aptitude. L'intelligence n'a pas de cause. Par conséquent, voyez si vous vous examinez avec un mobile. Est-ce que vous vous rendez compte que vous pensez, vous travaillez, vous ressentez, dans l'isolement et que cet isolement doit inévitablement engendrer un conflit sans fin ? Cet isolement c'est vous, vous êtes l'ennemi. Quand vous vous examinez sans un mobile, y a-t-il le « moi » – le moi en tant que cause et effet; le moi comme résultat du temps, qui est le mouvement qui va de la cause à l'effet ? Quand vous vous regardez, que vous considérez ce fait sans une cause, quelque chose prend fin et quelque chose de totalement neuf commence.

le 15 juillet 1982

CHAPITRE IX

BROCKWOOD PARK

Regardez ce qui arrive sur cette terre où l'homme a provoqué ce chaos, où se déroulent les guerres et d'autres événements terribles. Ce n'est pas un point de vue pessimiste ou optimiste; c'est seulement regarder les faits tels qu'ils sont. Apparemment, il est impossible d'avoir la paix sur cette terre ou de vivre avec amitié et affection les uns pour les autres dans nos vies. Pour vivre en paix avec soi-même et avec le monde, il faut une grande intelligence. Il ne suffit pas d'avoir le concept de paix et de lutter pour vivre une vie paisible – ce qui peut simplement devenir une vie plutôt végétative – mais il faut chercher à savoir s'il est possible de vivre dans ce monde, où règnent un tel désordre, une telle perversité – si nous pouvons employer ce mot plutôt désuet – avec une certaine qualité d'esprit et de cœur qui soit en paix avec soi-même. Pas une vie de lutte incessante, de conflit, de compétition, d'imitation et de conformisme; pas une vie de contentement et de satisfaction;

pas une vie où l'on a acquis un résultat, un renom, la notoriété, la richesse; mais une vie qui a une qualité de paix. Nous devons approfondir cela pour découvrir s'il est possible d'atteindre cette paix – pas seulement la paix de l'esprit qui n'en est qu'une petite partie – d'avoir cette qualité particulière de tranquillité sans perturbation et pourtant terriblement vivante avec le sens de la dignité et sans aucun sens de vulgarité. Peut-on vivre une telle vie?

Nous sommes-nous jamais posé cette question, alors que nous sommes entourés par un désordre total? On doit être très clair à ce sujet; extérieurement, il y a un désordre total – chaque matin nous lisons dans le journal des choses terribles, par exemple un avion qui peut voyager à une vitesse étonnante d'un coin de la terre à l'autre sans ravitaillement et transporter une grande quantité de bombes et de gaz qui peuvent détruire l'homme en quelques secondes. Si l'on observe tout cela et que l'on réalise ce qu'est devenu l'homme, on peut penser qu'en posant cette question on a demandé l'impossible et on peut dire qu'il n'est absolument pas possible de vivre dans ce monde sans être perturbé intérieurement, sans problèmes et sans vivre une vie qui ne soit pas égoïste. Parler de cela, employer des mots, a très peu de sens à moins de découvrir ou de trouver, en communiquant les uns avec les autres, un état de tranquillité absolue. Cela demande de l'intelligence, pas de l'imagination, pas cette sorte de rêve éveillé que l'on appelle méditation, pas une sorte d'auto-hypnose, mais de l'intelligence.

Qu'est-ce que l'intelligence ? C'est percevoir ce qui est illusoire, ce qui est faux, qui n'est pas réel et de l'écarter. Il ne suffit pas d'affirmer que c'est faux et de continuer comme avant, mais il faut l'écarter complètement. Cela fait partie de l'intelligence. Voir, par exemple, que le nationalisme, avec son patriotisme, son isolement, son étroitesse, est destructif, est un poison dans le monde. Et en voir la vérité, c'est écarter ce qui est faux. C'est l'intelligence. Mais continuer avec cela, tout en reconnaissant que c'est stupide, fait fondamentalement partie de la stupidité et du désordre – cela crée encore plus de désordre. L'intelligence n'est pas la recherche habile d'arguments, d'opinions contradictoires – comme si la vérité pouvait être trouvée avec des opinions, ce qui est impossible – mais c'est de réaliser que l'activité de la pensée, avec toutes ses capacités, toutes ses subtilités et son extraordinaire activité incessante, n'est pas l'intelligence. L'intelligence est en dehors de la pensée.

Pour vivre en paix, il faut examiner le désordre. Pourquoi, nous les êtres humains, qui sommes supposés être extraordinairement évolués, formidablement capables dans certains domaines, pourquoi vivons-nous avec un tel désordre et pourquoi le tolérons-nous dans notre vie quotidienne ? Si l'on peut découvrir la racine de ce désordre, sa cause et l'observer prudemment, alors dans l'observation même de ce qui est la cause, l'intelligence s'éveille. Dans l'observation du désordre et non pas en s'efforçant d'établir l'ordre. Un esprit confus et désordonné, un état d'esprit contradictoire, même s'il s'efforce d'établir l'ordre, sera toujours du désordre. On est confus, incertain, allant d'une chose à l'autre, accablé de nombreux problèmes et c'est à partir de cette façon de vivre que l'on veut l'ordre. Alors, ce qui semble être l'ordre provient en fait de notre confusion et, par conséquent, reste de la confusion.

Ceci étant clair, quelle est alors la cause du désordre ? Il a de nombreuses causes : le désir de réussir, l'angoisse de ne pas réussir, la vie contradictoire que l'on mène, disant une chose et faisant quelque chose de totalement différent, essayant de supprimer une chose et d'en réaliser une autre. Ce sont là des contradictions qui nous habitent. On peut trouver bien des causes, la poursuite des causes est inépuisable. Tandis qu'au contraire, on peut se demander et découvrir s'il y a une cause principale. De toute évidence, il doit y en avoir une. La cause principale est le « moi », « l'ego », la personnalité construite par la pensée, par la mémoire, par diverses expériences, par certains mots, certaines qualités qui produisent cette impression de séparation et d'isolement; c'est la cause principale du désordre. Quels que soient les efforts de l'ego pour ne plus être le moi, c'est encore l'effort de l'ego. L'ego peut s'identifier à la nation, mais cette identification à ce qui est plus grand, est toujours l'ego glorifié. Chacun de nous le fait de différentes façons. L'ego est construit par la pensée; c'est la cause principale de ce désordre total dans lequel nous vivons. Quand on observe ce qui cause le désordre – et l'on s'est tellement habitué à ce désordre, dans lequel on a toujours vécu qu'on le trouve naturel – on commence à le remettre en question, à l'examiner totalement et à en voir la racine. On l'observe sans rien faire, alors cette observation commence à dissoudre le centre qui est la cause du désordre.

L'intelligence, c'est la perception de ce qui est vrai. Elle écarte complètement ce qui est faux, elle voit la vérité dans le faux et réalise qu'aucune des activités de la pensée n'est intelligence. Elle voit que la pensée est le fruit du savoir qui est lui-même le résultat de l'expérience sous forme de mémoire et que la réponse de la mémoire c'est la pensée. Le savoir est toujours limité – c'est évident – il n'a pas de savoir parfait. De sorte que la pensée, avec toutes ses activités et tout son savoir, n'est pas l'intelligence. Alors on se demande quelle place la pensée a dans la vie si l'on considère que toute notre activité est fondée sur la pensée ? Tout ce que nous faisons est fondé sur la pensée. Nos relations le sont. Toutes les inventions, toutes les réussites technologiques, tout le commerce, tous les arts sont des activités de la pensée. Les dieux que nous avons créés, les rituels, sont le produit de la pensée. Donc quelle est la place du savoir et de la pensée dans cette dégénérescence de l'homme ?

L'homme a accumulé un savoir immense dans le domaine de la science, de la psychologie, de la biologie, des mathématiques etc. Et nous pensons qu'avec le savoir, nous allons nous élever, nous libérer, nous transformer. Nous contestons la place du savoir dans la vie. Le savoir nous a-t-il transformés, nous a-t-il rendus bons ? – c'est encore un mot désuet. Nous a-t-il donné l'intégrité ? Fait-il partie de la justice ? Nous a-t-il donné la liberté ? Il nous a donné la liberté, dans le sens où l'on peut voyager, communiquer d'un pays à l'autre. Nous avons de meilleurs systèmes d'enseignement, ainsi que l'ordinateur et la bombe atomique. Ce sont les résultats d'une énorme accumulation de savoir. De nouveau, nous nous demandons : ce savoir nous a-t-il donné la liberté, une vie juste, une vie qui soit fondamentalement bonne ?

Liberté, justice et bonté; ces trois qualités furent l'un des problèmes des anciennes civilisations qui s'efforcèrent de trouver une façon de vivre juste. Le mot « juste » signifie avoir de la droiture, agir avec bienveillance, avec générosité, ne rien avoir à faire avec la haine ou l'antagonisme. Mener une vie juste et équitable signifie mener une vie qui ne suive pas un modèle, ni un idéal fantaisiste projeté par la pensée. Cela signifie mener une vie qui ait beaucoup d'affection, qui soit vraie, juste. Et dans ce monde il n'y a pas de justice, l'un est intelligent, l'autre ne l'est pas; l'un a du pouvoir, l'autre non; l'un peut voyager à travers le monde et rencontrer des gens importants; l'autre vit dans une petite ville, dans une petite chambre, travaillant jour après jour. Où est la justice là-dedans? Peut-on trouver la justice dans les activités extérieures? L'un peut devenir Premier Ministre, Président ou directeur d'une grande multinationale, l'autre peut rester pour toujours un employé au bas de l'échelle. Donc, devons-nous chercher la justice à l'extérieur en essayant de créer un état égalitaire – c'est ce qu'on essaie de faire, à travers le monde, en pensant que cela apportera la justice – ou bien, la justice doit-elle être trouvée en dehors de tout cela?

La justice implique une certaine intégrité, d'être entier, complet, pas morcelé ni fragmenté. Elle ne peut survenir que lorsqu'il n'y a pas de comparaison. Nous sommes toujours en train de comparer – de meilleures voitures, de meilleures maisons, une meilleure situation, plus de pouvoir et ainsi de suite. La comparaison est une mesure. Là où il y a mesure, il ne peut y avoir de justice. Et quand il y a imitation et conformisme, il ne peut y avoir de justice. En suivant quelqu'un, en écoutant ses paroles, nous ne voyons pas la beauté, la qualité, la profondeur de ces choses. Nous pouvons être d'accord superficiellement mais nous nous en éloignons. Tandis que les mots et la compréhension de leur sens profond doivent laisser une trace, une graine, car la justice doit être là, en nous.

En parlant avec un psychologue assez connu, l'orateur a utilisé le mot « bonté ». Il fut horrifié. Il dit : « C'est un mot désuet, nous ne l'employons plus. » Mais l'orateur aime ce mot. Donc qu'est-ce que la bonté ? Ce n'est pas contraire de ce qui est mauvais. Si c'est l'opposé de ce qui est mauvais, alors la bonté a ses racines dans la méchanceté. Tout ce qui a un opposé, a obligatoirement ses racines dans cet opposé. Donc, la bonté n'est pas liée à ce que nous considérons comme mauvais. Elle en est complètement séparée. On doit la regarder telle qu'elle est et non pas en tant que réaction à un contraire. La bonté signifie une façon de vivre vertueuse, pas en termes de religion, de morale ou selon un concept éthique de la vertu, mais en termes de quelqu'un qui voit ce qui est vrai et ce qui est faux, qui maintient cette qualité de sensibilité, qui le voit immédiatement et qui agit.

Le mot « liberté » a des implications très complexes. Quand il y a liberté, il y a justice, il y a bonté. On considère que la liberté est la possibilité de choisir. On pense être libre parce que l'on peut choisir d'aller à l'étranger, on peut choisir son métier ou ce que l'on veut faire. Mais quand il y a choix, y a-t-il liberté ? Qui choisit ? Et pourquoi doit-on choisir ? Quand il y a liberté, dans le domaine psychologique, quand on donne libre cours à ses capacités de penser objectivement, impersonnellement, très précisément et pas sentimentalement, il n'y a pas besoin de choisir. Quand il n'y a pas de confusion, il n'y a pas de choix.

Donc, qu'est-ce que la liberté ? La liberté n'est pas le contraire du conditionnement, s'il en était ainsi, ce ne serait qu'une sorte de fuite. La liberté n'est pas une fuite. Un cerveau conditionné par le savoir, est toujours limité, il vit constamment dans le domaine de l'ignorance, il vit toujours avec le mécanisme de la pensée, de sorte qu'il ne peut y avoir de liberté. Nous vivons tous avec toutes sortes de peurs – peur du lendemain, peur des choses qui ont eu lieu dans le passé. Si nous cherchons à nous libérer de cette peur, alors cette liberté a une cause et ce n'est pas la liberté. Si nous pensons en termes de causalité et de liberté, alors cette liberté n'est absolument pas la liberté. La liberté ne concerne pas seulement un aspect de notre vie, mais la liberté totale et cette liberté n'a pas de cause.

Maintenant que tout cela a été précisé, examinons la cause de la souffrance et cherchons à savoir si cette cause peut cesser. D'une façon ou d'une autre, nous avons tous souffert, à cause de décès, du manque d'amour ou d'avoir aimé quelqu'un sans être payé de retour. La souffrance a de très nombreux visages. Depuis la nuit des temps, l'homme a toujours essayé de fuir la douleur et pourtant après des millénaires, nous vivons toujours avec la souffrance. L'humanité a versé des larmes innombrables. Il y a eu des guerres qui ont infligé à l'homme des douleurs atroces et de grandes angoisses et apparemment il n'a pas pu se libérer de la douleur. Ce n'est pas une question pour la forme, mais le cerveau humain, l'esprit humain, l'être humain peut-il se libérer complètement de cette angoisse de la douleur et de tous les tourments humains qui l'accompagnent ?

Marchons ensemble dans le même sentier, pour découvrir si nous pouvons, dans notre quotidien, en finir avec ce terrible fardeau que l'homme porte depuis des temps immémoraux. Est-ce possible de découvrir la fin de la souffrance ? Comment abordez-vous cette question ? Comment réagissez-vous à cette question ? Quel est l'état, la qualité de votre esprit quand on vous pose ce genre de question ? Mon fils est mort, mon mari est parti. J'ai des amis qui m'ont trahi. J'ai suivi un idéal avec une grande foi et après vingt ans, il s'est révélé stérile. La douleur contient une grande beauté et beaucoup de souffrances. Comment réagit-on à cette question ? Est-ce que l'on dit : « Je ne veux même pas la regarder. J'ai souffert, c'est le sort de l'homme, je la rationalise, je l'accepte et je continue. » C'est une façon de traiter la question. Mais on n'a pas résolu le problème. Ou bien on reporte cette douleur sur un symbole et l'on adore ce symbole, comme cela se fait dans le Christianisme, ou bien comme l'on fait les anciens Hindous, c'est notre sort, notre karma. Ou bien encore, comme dans le monde moderne, où l'on rejette la responsabilité sur les parents ou sur la société ou sur les gènes dont nous avons hérité et qui seraient la cause de notre souffrance et ainsi de suite. Il y a un millier d'explications. Mais les explications n'ont jamais résolu la douleur et les affres de la souffrance. Comment allez-vous aborder cette question ? Voulez-vous la regarder en face ou bien avec insouciance ou inquiétude ? Comment abordez-vous, vous approchez-vous très près d'un tel problème ? La souffrance est-elle différente de l'observateur qui dit : « Je souffre. » Quand il dit : « Je souffre » il s'est séparé de ce sentiment, de sorte qu'il ne l'a pas du tout approché. Il ne l'a pas touché. Pouvez-vous cesser de l'éviter, pouvez-vous ne pas la transmuter, ne pas la fuir mais l'approcher le plus près possible ? Ce qui signifie que vous êtes cette souffrance. Est-ce exact ?

Vous pouvez avoir inventé un idéal de liberté par rapport à la souffrance. Cette invention vous a éloigné, séparé davantage de la souffrance, mais le fait est que vous êtes ce chagrin. Est-ce que vous réalisez ce que cela signifie ? Ce n'est pas quelqu'un qui a causé votre souffrance, ce n'est pas la mort de votre fils qui a fait que vous versez des pleurs. Vous pouvez verser des pleurs pour votre fils ou votre femme, mais c'est l'extériorisation de votre douleur ou de votre souffrance. Cette souffrance est le résultat de votre dépendance vis-à-vis de cette personne, de votre attachement, de votre impression d'être perdu sans elle. Donc, comme d'habitude, vous essayez d'agir sur les symptômes, vous n'allez jamais au cœur même de ce grand problème, qu'est la souffrance. Nous ne parlons pas, ici, des effets externes de la souffrance, si ce sont les effets de la souffrance qui vous concernent, vous pouvez prendre une drogue pour vous calmer. Nous essayons ensemble de découvrir pour nous-même – il ne s'agit pas qu'on vous le dise et que vous acceptiez – mais de véritablement découvrir pour nous-même la racine de la souffrance. Est-ce le temps qui produit la souffrance – le temps que la pensée a inventé dans le domaine psychologique ? Comprenez-vous ma question ?

Auditeur : Qu'entendez-vous par le temps psychologique ?

K : Ne me demandez pas ce qu'est le temps psychologique. Posez-vous cette question. L'orateur peut peut-être vous y inciter, la mettre en mots, mais c'est votre question. On a eu un fils, un frère, une femme, un père. Ils ne sont plus. Ils ne reviendront jamais. Ils ont été effacés de la surface de la terre. On peut, bien sûr, inventer une croyance selon laquelle on vit sur d'autres plans. Mais on les a perdus, il y a une photo sur le piano ou sur la cheminée. Le souvenir que nous avons d'eux appartient au temps psychologique. L'amour qu'on leur a porté et celui qu'ils nous ont porté, l'aide qu'ils nous ont apporté ; ils nous ont aidés à masquer notre solitude. Leur souvenir est un mouvement du temps. Ils étaient là hier et n'y sont plus aujourd'hui. C'est-à-dire qu'un souvenir a été formé dans le cerveau. Ce souvenir est un enregistrement sur la bande magnétique du cerveau et cette bande joue sans cesse. Les promenades que nous avons faites ensemble dans les bois, le souvenir de notre sexualité, leur amitié, le réconfort qu'ils nous ont procuré. Tout cela est fini et la bande continue à jouer. Cette bande est la mémoire et la mémoire est le temps. Si cela vous intéresse, explorez-le très profondément. On a vécu avec son frère ou son fils, on a connu des jours heureux avec eux, on a partagé bien des plaisirs mais ils ne sont plus. Mais leur souvenir reste. C'est lui qui est la cause de la souffrance. C'est à cause de lui que l'on verse des larmes dans notre solitude. Mais est-il possible de ne pas enregistrer ? C'est une question très sérieuse. Hier, on a aimé le lever de soleil, il était si clair, si beau parmi les arbres, projetant sur la pelouse une lumière dorée avec des ombres étirées. C'était une matinée agréable, charmante et on l'a enregistrée. Alors la répétition commence. On a enregistré ce qui est arrivé, ce qui a provoqué notre délectation et plus tard ce souvenir – comme un phonographe ou un magnétophone – est répété. C'est l'essence du temps psychologique. Mais est-il possible de ne pas du tout enregistrer ? Le lever de soleil d'aujourd'hui, regardez-le, soyez-y complètement attentif, ainsi qu'à cet instant de lumière dorée sur la pelouse avec les ombres qui s'étirent et ne l'enregistrez pas, ainsi, la mémoire n'en garde aucun trace, c'est terminé. Soyez-y complètement attentif et n'enregistrez pas. C'est l'attention du regard qui empêche tout enregistrement.

Donc, le temps est-il la racine de la souffrance ? La pensée est-elle la racine du chagrin ? Oui, bien sûr. Les souvenirs et le temps sont donc le centre de notre vie. On se nourrit d'eux et quand survient quelque chose de terriblement douloureux, on revient à ces souvenirs et on verse des pleurs. On souhaite que celui ou celle que l'on a perdu ait été encore là pour jouir de ce soleil quand on le regardait. C'est la même chose pour nos souvenirs sexuels, on construit une image et on y repense. Tout cela est mémoire, pensée et temps. Si l'on demande : « Comment le temps psychologique et la pensée peuvent-ils cesser ? » c'est une mauvaise question. Quand on réalise que c'est vrai – pas la vérité d'un autre mais votre propre observation de cette vérité, votre propre clarté de perception – est-ce que cela ne va pas mettre un terme à la souffrance ?

Peut-on être attentif de façon si intense qu'il soit possible de vivre sans rien enregistrer psychologiquement ? Ce n'est que lorsqu'il y a inattention qu'il y a enregistrement. On est habitué au frère, au fils ou à l'épouse, on sait ce qu'ils vont dire, ils ont répété la même chose si souvent. On les connaît. Quand on dit : « Je les connais » on est inattentif. Quand on dit : « Je connais ma femme » il est évident qu'on ne la connaît pas vraiment parce qu'il est impossible de *connaître* une chose vivante. On ne connaît qu'une chose morte, qu'un souvenir mort.

Quand on prend conscience, avec une grande attention, de ce fait, la souffrance a un sens totalement différent. Il n'y a rien à apprendre de la souffrance. Il n'y a que la fin de la souffrance. Et quand il y a une fin à la souffrance, alors il y a amour. Comment peut-on aimer l'autre – aimer, avoir la qualité de cet amour – quand toute notre vie est fondée sur les souvenirs, sur cette photo suspendue au-dessus de la cheminée ou posée sur le piano. Comment peut-on aimer quand on est prisonnier d'une vaste structure de souvenirs ? La fin de la souffrance est le commencement de l'amour.

Puis-je vous raconter une histoire ? Un maître spirituel avait plusieurs disciples et, tous les matins, il leur parlait de la nature de la bonté, de la beauté et de l'amour. Un matin, alors qu'il s'apprête à parler, un oiseau se pose sur le rebord de la fenêtre et commence à chanter. Il chante un moment, puis disparaît. Le maître dit : « La causerie de ce matin est terminée. »

le 4 septembre 1982

TABLE DES MATIÈRES

INDE

ÉTATS-UNIS

SUISSE

ANGLETERRE

Cet ouvrage a été réalisé sur
Système Cameron
par la SOCIÉTÉ NOUVELLE FIRMIN-DIDOT
Mesnil-sur-l'Estrée
pour le compte des Éditions Du Rocher
le 12 février 1987

Le Rocher
28, rue Comte-Félix-Gastaldi
Monaco

Groupe des Presses de la Cité
8, rue Garancière
Paris 75006

Dépot légal : mars 1987
N° d'édition – CNE section et industrie Monaco 19023
N° d'impression : 5849

Imprimé en France